ÉNERGIE 1

eso

méthode de français

livre de l'élève

Santillana
FRANÇAIS

	SITUATIONS DE COMMUNICATION Compréhension - Expression	ACTES DE PAROLE	GRAMMAIRE EN SITUATION Structures globales - Points de grammaire
MODULE 1 L1 : p. 6-7 L2 : p. 8-9 L3 : p. 10-11 L4 : p. 12-13 L5 : p. 14-15	L1 : « Le bon numéro » (concours de télévision) L2 : « Prête pour la rentrée » (description) L3 : « En cours de langue » (dialogue)	saluer identifier quelqu'un s'identifier nommer le matériel de classe communiquer en classe indiquer la couleur compter jusqu'à 69	*Qui est-ce ? Qu'est-ce que c'est ? C'est…* *Comment tu t'appelles ?* *De quelle couleur est… ? Comment on dit ?* *Qu'est-ce qu'il faut faire ? Il faut* + infinitif *Quelles sont… ?* articles définis et articles indéfinis *C'est* + prénom *C'est* + article + objet verbes en *–ER* (présent)
MODULE 2 L1 : p. 16-17 L2 : p. 18-19 L3 : p. 20-21 L4 : p. 22-23 L5 : p. 24-25	L1 : « Vive le sport ! » (interview) L2 : « Qu'est-ce que tu aimes ? » (description) « Tu aimes téléphoner à tes copains ? » (dialogues au téléphone) L3 : « Confusion dans la neige » (micro-situations)	parler de soi, de ses qualités décrire et qualifier quelqu'un exprimer son accord / son désaccord exprimer ses goûts et ses préférences dire ce qu'on fait / ce qu'on ne fait pas nier épeler	*Qu'est-ce que tu aimes ? / n'aimes pas ?* *aimer / détester* + nom ou + infinitif *Qu'est-ce que vous faites ?* adjectifs réguliers verbe *être* (présent) + adjectif verbes en *–ER* (présent) verbe *faire* (présent) *on = nous*
MODULE 3 L1 : p. 26-27 L2 : p. 28-29 L3 : p. 30-31 L4 : p. 32-33 L5 : p. 34-35	L1 : « L'inconnu » (chanson) « Une allergie ? » (mini-dialogue) L2 : « D'autres langues, d'autres cultures » (témoignages) L3 : « La fête d'anniversaire » (dialogue au téléphone)	demander / dire l'adresse demander / dire la nationalité inviter, accepter ou refuser une invitation s'informer / dire la date demander / dire la cause d'une action	*C'est quand ton anniversaire ?* *Quelle est la date de… ? C'est le* + date *Quel âge tu as ? Tu as quel âge ?* *Quel est ton nom / prénom ?* *Où est-ce que tu es né(e) ?* *Où est-ce que tu habites ?* *Quelles langues tu parles ?* *Il / elle est de quelle nationalité ?* verbe *avoir* (présent) adjectifs de nationalité *habiter à, au, en* la cause : *pourquoi / parce que*
MODULE 4 L1 : p. 36-37 L2 : p. 38-39 L3 : p. 40-41 L4 : p. 42-43 L5 : p. 44-45	L1 : « J'ai perdu Bobby » (dialogues, annonce) L2 : « Une géante du sud : l'autruche. Un géant du nord : l'ours polaire. » (fiche d'identification, descriptif) L3 : « Chez le docteur » (dialogues)	compter jusqu'à 1000 décrire et caractériser un animal s'informer sur quelqu'un / quelque chose donner un numéro de téléphone indiquer une quantité s'informer sur la santé de quelqu'un dire où on a mal donner des ordres différencier *tu* et *vous*	*avoir mal à / au / aux / à la* + partie du corps *Combien pèse… ? Combien mesure… ?* *Quel âge a-t-il / elle ? De quelle couleur est…* *quel / quels / quelle / quelles* la quantité avec *combien de* + nom *combien* + verbe adjectifs possessifs (1 possesseur) impératif forme négative avec *pas … de*
MODULE 5 L1 : p. 46-47 L2 : p. 48-49 L3 : p. 50-51 L4 : p. 52-53 L5 : p. 54-55	L1 : « Au café La Tartine » (mini- dialogue) L2 : « À la plage » (présentations des membres de sa famille) L3 : « La matinée de M. Ledistrait » (dialogue, récit)	commander un petit-déjeuner présenter les membres de sa famille décrire quelqu'un : physique et caractère préciser les moments de la journée dire l'heure raconter sa journée situer dans l'espace	*Qu'est-ce que vous voulez ? Je voudrais…* *Qu'est-ce que vous prenez ?* *Quelle heure est-il ?* verbe *prendre* (présent) articles partitifs adjectifs irréguliers prépositions de lieu verbes pronominaux

MODULE 6
L1 : p. 56-57
L2 : p. 58-59
L3 : p. 60-61
L4 : p. 62-63
L5 : p. 64-65
	L1 : « Aimes-tu l'aventure ? » (test de
	personnalité)
	
	L2 : « Le moment idéal » (chanson)
	
	L3 : « Souvenirs de vacances » (cartes
	postales)
		parler de ses activités
		s'informer sur les activités de
		   quelqu'un
		parler du temps qu'il fait
		expliquer ses sensations en fonction du
		temps
		commenter ou raconter des vacances à
		l'oral et à l'écrit
			reconnaissance de futur proche, futur simple,
			   passé composé : *je vais visiter, il y aura,
			   j'ai visité, je suis très bien arrivé*
			articles contractés : *au / aux - à* + articles défi
			aller à / au / à la / aux
			verbe *aller* (présent)
			prépositions + pronom personnel : *à ; avec ;
			   chez ; pour ; devant + moi ; toi ; lui ; elle*

Évaluation : Livre L5 : « Vérifie tes progrès » : Bilan de lecture silencieuse et à haute voix (BD) ; Bilan d'expression orale (Bilan oral) - Cahier : Test de

Techniques d'apprentissage : Module sensibilisation : « Apprendre une langue, facile ou difficile ? » - Cahier: « Le français, facile ou difficile ? » ; M
sans se bloquer » ; M 5 : « La grammaire, pour quoi faire ? » ; M 6 : « Coopérer en groupe »

Culture et thèmes transversaux : Livre M 1 : jeux télévisés, éducation pour la paix, géographie de la France ; M 2 : sport, solidarité, ONG, héros,
Droits de l'homme ; M 5 : regard critique sur les Français, diététique et adolescence ; M 6 : météo, géographie mondiale, connaissance de soi, regard

LEXIQUE	PHONÉTIQUE		LECTURE	PROJETS	DIVERSITÉ COLLECTIVE
	JE LIS	JE DIS			
alutations dentité ouleurs natériel de classe erbes d'action (1) ombres de 0 à 69	u au, eau, o eu en, an	[y] [o] [ø] [ɑ̃]	Livre L4 : Doc Lecture « La France, tu connais ? » (informations) Livre L5 : BD « Un paquet de Melbourne » Cahier L4 : Doc Lecture « En arabe, Sahara veut dire désert » (description)	Livre L4 : Concours « 5 questions pour des champions » (culture générale)	Livre L4 : « La France, tu connais ? » (géographie) Cahier L5 : « La chaise est libre ? » (résumé)
lphabet erbes d'action (2) djectifs de description oûts et préférences	on an g, j ou z, s	[ɔ̃] [ɑ̃] [ʒ] [u] [z]	Livre L4 : Doc Lecture « Héros de BD » (informations) Livre L5 : BD « Charles, le stylo-plume » Cahier L4 : Doc Lecture « Apprends à ton cochon d'Inde à reconnaître les couleurs » (prescription)	Livre L4 : « Je suis comme ça !!! » (production écrite individuelle)	Livre L3 : « Confusion dans la neige » (micro-conversations) Livre L3 : « Écoute, observe, analyse : les verbes en –ER au présent » (fiches synthèse)
ours de la semaine nois de l'année oms de monuments, de villes de pays, de spécialités ationalités	in, ain aine, eine r	[ɛ̃] [ɛn] [ʀ]	Livre L4 : Doc Lecture « Les jeunes de l'Union Européenne » (informations) Livre L5 : BD « Qui es-tu ? » Cahier L4 : Cahier L4 « Agenda Livres » (résumés)	Livre L4 : « À la recherche d'un(e) correspondant(e) » (Internet / e-mail) @ se présenter à son / sa correspondant(e)	Livre L3 : « L'invitation » (canevas de jeux de rôles) Cahier L5 : « Séjour en Angleterre » (résumé du dialogue)
ombres de 70 à 1000 arties du corps animal et humain ormules de politesse	eu(r) eu ch oi	[œ] [ø] [ʃ] [wa]	Livre L4 : Doc Lecture « La tour Eiffel » (informations) Livre L5 : BD « Sur le port » Cahier L4 : Doc Lecture « On parle de Harry Potter sur Internet » (opinions)	Livre L4 : « La mascotte de la classe » (production orale et écrite en groupe) @ présenter son animal préféré à son / sa correspondant(e)	Livre L1 : « Les nombres » (jeux de nombres) Livre L4 : « La tour Eiffel » (questionnaire coopératif)
epas ourriture êtements ccessoires nembres de la famille noments de la journée nots écourtés	v ai, è, e	[v] [ɛ]	Livre L4 : Doc Lecture « Un regard sur les Français » (informations) Livre L5 : BD « Un petit-déjeuner en pleine nature » Cahier L4 : Doc Lecture « Pas d'école, pas d'avenir » (publicité)	Livre L4 : « Une matinée dans une famille imaginaire » (fiction) @ présenter sa famille à son / sa correspondant(e)	Livre L1 : « Un petit-déjeuner pas comme les autres » (jeux de rôles) Livre L3 : « La journée de Noémie » (compréhension orale)
aisons ensations physiques xpressions du temps eux où se rendre xpressions pour commencer et pour finir une carte postale	g (o, a, u) c, s, ss, ç	[g] [s]	Livre L4 : Doc Lecture « Vive la différence ! » (informations) Livre L5 : BD « Perdu dans la fôret » Cahier L4 : Doc Lecture « Un pour tous, tous pour un » (définition, récit, information)	Livre L4 : « Journal de bord d'un(e) touriste » (production orale et écrite en groupe) @ envoyer une carte postale	Livre L2 : « Le moment idéal » (chanson) Livre L3 : « Observe et analyse : présent, passé, futur » (grammaire)

mpréhension orale ; Expression écrite et grammaire (Bilan écrit) ; Auto-évaluation

Comprendre quelqu'un qui parle en français » ; M 2 : « Comprendre ce qu'on lit en français » ; M 3 : « Mémoriser » ; M 4 : « Parler en français

ti-héros ; M 3 : tolérance, lutte contre le racisme, Europe ; M. 4 : informations techniques sur la tour Eiffel, Art. 4 de la Déclaration universelle des
s autres, acceptation des différences culturelles et sociales - Cahier : dans tous les modules, jeux de logique et jeux mathématiques

1 **Observe cette illustration.** C'est une illusion visuelle ! Qu'est-ce que tu vois exactement ? 1, 2 ou 3 personnes ?

> Quand tu apprends une langue, tu regardes le monde sous un angle différent.

2 **Écoute ces bruits.**
 Quelle est la série que tu as entendue ?

A

B

C

> Pour distinguer les sons du français, ouvre tes oreilles et écoute bien.

3 Observe et classe ces crayons du plus petit au plus grand.

Tu veux apprendre le français ? Alors, développe ton sens de l'observation. Exemple :
« le bus-les bus », « vers-verre »...

4 Complète la série suivante.

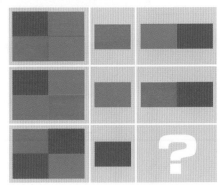

Le français a une logique. Si tu la découvres, tu vas progresser très vite.

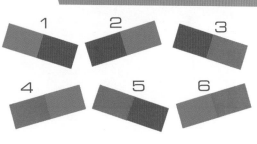

5 **Observe ces phrases.** Cherche 3 verbes, 2 adjectifs, un article féminin et un article pluriel.

Elle porte un pantalon gris.

Michèle téléphone à son père.

J'adore les bracelets de couleurs vives.

La table en plastique est au centre du jardin.

La lune brille dans le ciel.

Tu observes une grosse araignée noire.

Tu as trouvé toutes les solutions ? Bravo ! Tu commences d'un très bon pied l'aventure du français.

Le bon numéro

1 Le concours.
Écoute et réponds.

a) Comment s'appelle le candidat n° 1 ?

b) Comment s'appelle la jeune fille ?

c) Quel est le numéro gagnant ?

2 BIP BIP. Écoute et reconstitue le dialogue.

a) Retrouve les réponses des 2 candidats.

b) Termine les phrases du présentateur.

3 Jouez la scène.

Bonjour tout le monde !
Le concours « Le bon numéro » commence !
Il y a 20 numéros et 2 candidats : un garçon et une fille.

- Bonjour, comment tu t'appelles ?
■ Bruno.
- Comment ça va, Bruno ?
■ Très bien, merci !
- Quel est le bon numéro ?
■ Le 17.
- Hum, c'est le 17 ? Non, Bruno, je suis désolé...
  Ce n'est pas le 17. Au revoir.

- Salut ! Tu t'appelles comment ?
▲ Je m'appelle Julie.
- Ça va, Julie ?
▲ Oui, ça va, merci !
- Quel est le bon numéro ?
▲ Le 12 !
- Bravo, Julie ! tu as gagné un sac de sport !
▲ Merci beaucoup !
- Au revoir tout le monde ! À demain !

Pour t'aider

LES SALUTATIONS

- Salut ! Bonjour !
■ Salut ! Au revoir. À demain !

- Ça va ?
- Comment ça va ?

■ Ça va, merci.
■ Pas mal. / Bien. / Très bien.
■ Comme ci, comme ça.
■ Mal. / Très mal.

L'IDENTITÉ

- Comment tu t'appelles ?
- Tu t'appelles comment ?
■ Je m'appelle...

- Comment il / elle s'appelle ?
■ Il / Elle s'appelle...

- Qui est-ce ?
■ C'est...

Et toi, comment tu t'appelles ?

On compte de 0 à 20

4 C'est quelle photo ? Écoute. Quels chiffres tu reconnais ?

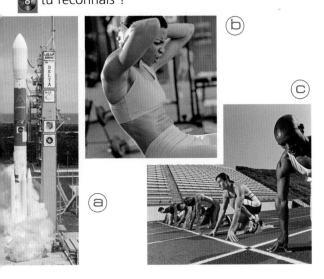

ⓐ ⓑ ⓒ

5 Les chiffres rythmés. Écoute et chante.

0 zéro	11 onze
1 un	12 douze
2 deux	13 treize
3 trois	14 quatorze
4 quatre	15 quinze
5 cinq	16 seize
6 six	17 dix-sept
7 sept	18 dix-huit
8 huit	19 dix-neuf
9 neuf	20 vingt !
10 dix	

Qui est-ce ?

6 Jeu. Les yeux bandés, touche le visage d'un(e) camarade et devine : Qui est-ce ?

QUI EST-CE ?
C'EST PAULA.
NON! NON!

Comment tu t'appelles ?

7 Les deux robots. Écoutez et jouez la scène.

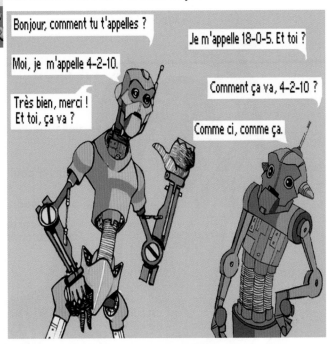

Bonjour, comment tu t'appelles ?
Je m'appelle 18-0-5. Et toi ?
Moi, je m'appelle 4-2-10.
Comment ça va, 4-2-10 ?
Très bien, merci ! Et toi, ça va ?
Comme ci, comme ça.

8 Rencontre. Deux personnages originaux se saluent. Imaginez le dialogue.

9 Code secret. Écoute. Que disent 5 et 7 ?

DEUX QUATRE ?
DEUX QUATRE !
TROIS DOUZE !
DEUX QUATRE, NEUF DIX ?
TROIS DOUZE !

10 Imaginez une conversation chiffrée.

Pour bien prononcer

Salut ! dit le barbu à la tortue.

JE LIS ▶ JE DIS
u [y]

Prête pour la rentrée

⑤ — les feutres fluo

JE CROIS QUE J'AI TOUT !

des lunettes pour bien copier ⑥

⑦ — une bouche pour rire et pour parler

un classeur

la carte de membre du club de gym

⑨

⑧

un crayon

les livres et le cahier de 5e

un stylo

un tube de colle ⑮

un agenda

une règle ③

② ①

⑭

⑯ mon sac rouge

⑩

⑰

des ciseaux

un taille-crayon ④

⑪

⑫ ⑬

une gomme

⑱

et, bien sûr, le « super portable » vert acidulé

une trousse pour les crayons de couleur

la calculette spatiale

1 Écoute et lis. Quels sont les éléments qui ne sont pas indispensables pour la classe ?

2 C'est quel numéro ? Écoute.
Exemple : La gomme, c'est le numéro 12 !

3 Le matériel de classe. Choisis un objet et pose la question à un(e) camarade.
Exemple :
A : Le 16, qu'est-ce que c'est ?
B : C'est un sac.

4 Jeu de mémoire. Ferme le livre et fais l'inventaire du matériel de Charlotte.

5 Jeu : Devine la couleur. Toute la classe observe la couleur du matériel de Charlotte.
De quelle couleur est le sac ?
De quelle couleur est la règle ? ...
Facile ? alors, maintenant, livre fermé !!!

De quelle couleur est le crayon ?

blanc   gris   noir

rouge   orange   jaune

bleu   vert   violet

Quelle est ta couleur préférée ?

Qu'est-ce que c'est ?

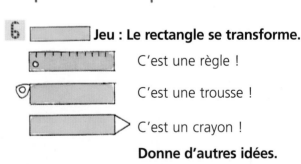

6   **Jeu : Le rectangle se transforme.**

C'est une règle !

C'est une trousse !

C'est un crayon !

Donne d'autres idées.

7 Devinettes sonores.
Écoute. Qu'est-ce que c'est ?

CLUB Chanson

Écoute et mime.

Ferme le livre
Lève-toi
Tape des mains
Assieds-toi
Prends une règle
Et un crayon
Tire un trait
C'est l'horizon
Dessine un rond
Un soleil rouge
Tu es un artiste !
Il faut que ça bouge !

Chante et scande.

Écoute, observe, analyse

LES ARTICLES DÉFINIS ET INDÉFINIS

A Écoute et observe l'illustration, page 8. Quels sont les articles masculins ? féminins ? pluriels ?

B « Des » et « les » sont des articles masculins ou féminins ?

		Définis	Indéfinis
Sing.	Masc.	le	un
	Fém.	la	une
Plur.	Masc.	les	des
	Fém.	les	des

⚠ l'agenda de Carla

C Écoute et lève la main quand tu entends un article a) masculin b) féminin c) pluriel.

D Classe dans le tableau précédent le matériel de classe de Charlotte.

Pour bien prononcer

Je suis beau avec mon chapeau, dit l'escargot.
Deux feutres bleus, c'est peu !

JE LIS	▶	JE DIS
au (jaune)		
eau (beau)		[o]
o (fluo)		
eu (deux)		[ø]

CLUB Poésie

La danse des couleurs.

Blanc comme la neige
Bleu comme le ciel
Noir comme la nuit
Jaune comme le soleil
Orange comme le feu
Marron comme tes yeux
Rouge comme mon cœur

Mémorise et récite.

Noir et Blanc. Écoute et lis.

Les chiens noirs
Les chiens blancs
La paix
Les chats noirs
Les chats blancs
La paix
Les gens noirs
Les gens blancs
La guerre

Et les gens sont plus intelligents ?

En cours de langue

1 Écoute le dialogue.

a) Qui parle ?
b) Ils sont en cours de maths ?
de français ? d'espagnol ?
c) Dans quel pays ?
d) Quel exercice il faut faire ?
e) C'est à quelle page ?

2 BIP BIP. Écoute et reconstitue le dialogue.

3 Jouez la scène.

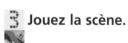

Pour t'aider

SE DÉBROUILLER EN CLASSE

• Qu'est-ce que ça veut dire : « …. » ?
• Qu'est-ce qu'il faut faire ?
• Souligner les verbes !
• De quelle couleur… ?
• Je n'ai pas mon cahier !
• Comment on dit en espagnol :
« J'ai oublié le Cahier d'exercices » ?

 Utilisez ces phrases dans un autre dialogue.

Comment on dit en français ?

4 Observe. Comment on dit en français ? et dans d'autres langues ?

5 Écoute et compare avec ta langue.

Qu'est-ce qu'il faut faire ?

6 Jeu. Passe ton doigt d'une case à l'autre de la spirale. STOP ! Qu'est-ce qu'il faut faire ? Toute la classe mime.

L'obligation

Il faut + infinitif

● Qu'est-ce qu'**il faut faire** ?
■ **Il faut souligner.**

7 Jeu : J'ai oublié...

Élève A : *J'ai oublié le crayon.*
Élève B : *J'ai oublié le crayon et le stylo.*
Élève C : *J'ai oublié le crayon, le stylo et...*

C'est à quelle page ?

8 Écoute et réponds après le BIP.
Exemple :

● *C'est l'exercice n° 11 de la page 29.*
■ *Pardon, c'est à quelle page ?* **BIP**

Pour bien prononcer

Trente éléphants blancs sur un toboggan, ce n'est pas prudent. Comment ??

JE LIS	▶	JE DIS
en (trente)		
an (éléphants)	▶	[ã]

On compte de 30 à 60 !

9 Écoute et répète !

30 trente
31 trente et un
32 trente-deux
33 trente-trois
34 trente-quatre
35 trente-cinq   40 quarante
36 trente-six   …
37 trente-sept   50 cinquante
38 trente-huit   …
39 trente-neuf   60 soixante !

10 Comédie musicale. Écoute, répète et chante.

DOC LECTURE La France, tu connais ?

GRANDE-BRETAGNE

BELGIQUE **ALLEMAGNE**

La Manche

Calais
Lille
Valenciennes

LUXEMBOURG

Amiens
Le Havre
Rouen
Reims
Metz
Caen
Nancy Strasbourg
★ **Paris**
Seine
Rhin
Brest
Troyes
Rennes
Le Mans
Orléans
Loire
VOSGES
Angers Tours
Dijon
Nantes
Besançon
Bourges
SUISSE
Poitiers
JURA
La Rochelle
Clermont-Ferrand
Mont Blanc
Océan
Limoges
Lyon
Atlantique
Angoulême
MASSIF
CENTRAL
Grenoble
ITALIE
A L P E S
Bordeaux
Valence
Garonne
Rhône
Saône
Avignon
Nîmes
Nice
Bayonne
Toulouse
Montpellier
Cannes
Pau
PYRÉNÉES
Marseille
Toulon
ESPAGNE
Corse
ANDORRE Perpignan
Mer Méditerranée
Ajaccio

Vrai ou Faux ?

a) La ville de Marseille est à 20 km de la ville de Nîmes.

b) Le mont Blanc est dans les Alpes.

c) Le fleuve qui passe par Paris s'appelle la Loire.

d) Nice est dans le sud de la France.

e) Les Pyrénées séparent la France de la Belgique.

1 Quels sont les pays voisins de la France ? Quelles montagnes et quelles mers entourent la France ?

2 Combien de noms de villes commencent par la lettre A ? et par la lettre B ? et par la lettre M ?

3 En 3 minutes, mémorise le maximum de noms de la carte (villes, fleuves, montagnes...). Ferme le livre et complète la fiche Diversité.

Diversité

Savez-vous que... ?

ⓘ On appelle la France « l'Hexagone » parce qu'elle a plus ou moins la forme de cette figure géométrique.

ⓘ Le drapeau français est bleu, blanc, rouge. Le blanc, c'est la couleur de la royauté, le bleu et le rouge sont les couleurs de la ville de Paris.

ⓘ La France a une superficie de 544 000 km². Elle est 17 fois plus petite que les États-Unis et 13 fois plus grande que la Suisse.

ⓘ L'île de la Corse est française depuis 1768.

Projet Concours « 5 questions pour des champions »

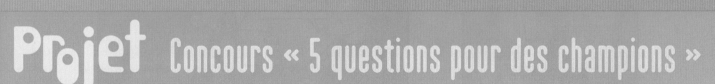

1 Écoutez. Qui sait répondre ?

1. **Quelle** est la capitale de la France ?

2. **Comment s'appelle** le chien de Tintin ?

3. **Quel** animal est le symbole de la France ?

4. **De quelle couleur** est la mer Noire ?

5. « Sayonara », **qu'est-ce que ça veut dire** en français ?

6. Idéfix, **qui** est-ce ?

7. L'Olympique, **qu'est-ce que c'est** ?

8. **Comment on dit** « restaurant » en anglais ?

2 Par groupes de 5, rédigez 5 questions.

À tour de rôle passez au tableau et posez vos questions au reste de la classe.
Marquez le score !

Le concours commence !

B.D. Un paquet de Melbourne

1 **Vrai ou faux ?** Lis la BD.

a) C'est un paquet pour le petit garçon.
b) Le paquet arrive de l'Australie.
c) Dans le paquet il y a des CD.
d) Le petit garçon est content d'avoir un boomerang.
e) Le petit garçon pense que Melbourne est un monsieur.

2 **Écoute.** Relis la BD.

3 **Écoute et lis à haute voix.** Imite les intonations.

TEST DE COMPRÉHENSION ORALE !!
La chaise est libre ?

Cahier d'exercices, page 14.

Diversité

TEST *20 / 20 à l'oral*

Aide-mémoire

On a travaillé dans ce module :

- **Les expressions pour...**
  - saluer, p. 6
  - identifier quelqu'un / quelque chose, p. 6, 7, 8
  - agir et communiquer en classe, p. 10, 11
  - exprimer l'obligation, p. 11

- **Les nombres**, p. 7, 11
- **Les couleurs**, p. 8, 9
- **Les articles définis et indéfinis**, p. 9
- **L'obligation avec *il faut* + infinitif**, p. 11

1 Bip, Bip, réponds vite. **Écoute et réponds à ces questions.**

10 Questions, 10 Points !!!!

/ 10

2 **Présente-toi.**

/ 2

3 **Dis 5 phrases que tu entends ou que tu utilises en cours de français.**

/ 2

4 Lis ce texte en remplaçant les dessins par les mots correspondants. Indique aussi la couleur de ces objets. Attention ! chaque étoile correspond à un article.

Dans mon sac à dos, il y a : ★ avec ★ ,
★ et ★ , ★ , ★ ,
★ de couleur, ★ et ★ . Il y a
aussi ★ , ★ et ★ . Il y a
★ petite avec ★ fluo. Il y a aussi ★
★ . C'est ★ grand sac à dos !

/ 4

5 **Lecture à haute voix.**

Salut ! Je m'appelle Ursula. Ma couleur préférée c'est le blanc et mon numéro préféré c'est le 11. Et toi, comment tu t'appelles ?

/ 2

SCORE : / 20

MODULE 2 LEÇON 1

- Se présenter
- Présenter quelqu'un
- Identifier et décrire quelqu'un

Vive le sport !

COMMENT EST-ELLE ?

1 **Tina est un jeune espoir du sport.**
Écoutons-la !

2 **Écoute et réponds.**

a) Tina, qui est-ce ?
b) Comment est-elle ?
c) Comment sont les membres de l'équipe ?

3 **BIP BIP.** Écoute et reconstitue le dialogue.

4 **Écoute et lis le dialogue.**

- Tina, quelle est ta spécialité ?
- La natation synchronisée.
- Tu es dans l'équipe nationale junior.
  Tu es contente ?
- Oh oui ! je suis très, très contente.
- Tu es championne. Quelles sont tes principales qualités, Tina ?
- Euh... Je suis résistante, souple et surtout je suis très disciplinée.
- C'est toi la meilleure de l'équipe ?
- Nooon !! Nous sommes toutes excellentes !
- C'est vrai, Tina. Vous êtes toutes géniales !

5 **Écoute ce fan de Léon Arthur.**

6 **Écoute et observe.** Quels sont les cinq mots utilisés pour décrire Léon Arthur ?

GRAND **RAPIDE**

content **fantastique**

résistant génial **FORT**

intelligent **DISCIPLINÉ** excellent

sympathique élégant

COMMENT EST-IL ?

7 **Interview.** Interroge Léon Arthur.

Le sport, c'est génial !

 Qu'est-ce qu'ils disent ?
Lis les bulles en remplaçant chaque étoile par le verbe *être*.

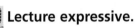 **Écoute et vérifie.**

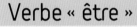 **Lecture expressive.**
Imitez les intonations.

Oh ! vous ★ fortes !

C'est normal, nous ★ championnes de karaté !

Elle ★ rapide, elle ★ fantastique !

C'est normal, elle ★ médaille d'or du cent mètres !!

Ils ★ grands ! Ils ★ formidables !

C'est normal, ils ★ joueurs de basket !

Oh ! tu ★ rapide, tu ★ résistant !

C'est normal, je ★ un as du football !

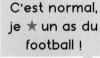

Verbe « être »

Je	**suis**	content(e).
Tu	**es**	content(e).
Il	**est**	content.
Elle	**est**	contente.
Nous	**sommes**	content(e)s.
Vous	**êtes**	content(e)s.
Ils	**sont**	contents.
Elles	**sont**	contentes.

Conjugue le verbe *être* avec d'autres adjectifs.

 Écoute, observe, analyse

LE PLURIEL

Elles sont fortes et souples.
Ils sont grands et musclés.

Tu entends le « s » ?

MASCULIN ET FÉMININ DES ADJECTIFS

1) Il est petit. [i]   Elle est petite. [it]
Il est grand. [ã]   Elle est grande. [ãd]
Il est fort. [ɔʀ]   Elle est forte. [ɔʀt]

2) Il est moderne.   Elle est moderne.
Il est triste.   Elle est triste.

A Dans quelle catégorie places-tu les adjectifs suivants ? Dans la 1ʳᵉ ou dans la 2ᵉ ? Établis la règle à l'oral et à l'écrit.

B Fais la liste des adjectifs que tu connais et classe-les en 2 catégories.

Pour bien prononcer

Un cochon très mignon chante une chanson sur le balcon.

JE LIS		JE DIS
on (*cochon*)	▶	[ɔ̃]
an (*chante*)		[ã]

11 **À toi !** Décris le sportif ou la sportive que tu préfères. Colle sa photo ou fais un dessin.

Qu'est-ce que tu aimes ?

1 Écoute ces personnes. Tu es d'accord, oui ou non ?

2 Écoute, lis et réagis. Qu'est-ce que tu aimes ? ❤ Qu'est-ce que tu n'aimes pas ? ✖ Qu'est-ce que tu adores ? ❤❤ Qu'est-ce que tu détestes ? ✖✖

le basket

Les ZOOS

les films d'horreur

l'aventure

L'Australie

la VIOLENCE

lire

les vacances

la pizza

la gym

Les copains

la musique

les lapins blancs

les contrôles

les énigmes

jouer à l'ordinateur

Émilie Benoni est solidaire, sympa et très active. Elle collabore avec Greenpeace.

3 Observe la photo d'Émilie Benoni. Imagine ses goûts et ses préférences.

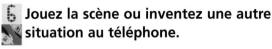
Tu aimes téléphoner à tes copains ?

4 Au téléphone. Écoute ce dialogue et réponds.

a) Qui parle ?
b) Dis 3 actions que Joanna ne fait pas.
c) Qu'est-ce qu'elle fait exactement ?
d) D'après toi, Joanna parle sérieusement ?

6 Jouez la scène ou inventez une autre situation au téléphone.

> ALLÔ JOANNA, ÇA VA ?
> QU'EST-CE QUE TU FAIS ?
> MMM... TU REGARDES LA TÉLÉ.
> TU TRAVAILLES ?
> TU MANGES ?
> ÇA Y EST !! J'AI TROUVÉ !! TU ÉCOUTES LE DERNIER CD D'U3.
> EUH... JE NE SAIS PAS !
> HA! HA! HA! C'EST VRAIMENT DÉBILE.

> AH! C'EST TOI, ALI! ÇA VA!
> EN CE MOMENT ? DEVINE !
> NON, JE NE REGARDE PAS LA TÉLÉ.
> NOOON, JE NE TRAVAILLE PAS !
> NON, NON, NON, JE NE MANGE PAS.
> ET NON! J'ADORE U3 MAIS JE N'ÉCOUTE PAS SON DERNIER CD.
> C'EST FACILE !!! JE PARLE AVEC TOI !!!

5 BIP BIP. Écoute et retrouve les réponses de Joanna.

Pour t'aider

danser — sauter — chanter — nager — jouer au football — voler — marcher — dessiner

Écoute, observe, analyse

LA FORME AFFIRMATIVE ET NÉGATIVE DES VERBES

A Écoute et répète. Insiste sur *pas* [pa].

je regarde	je ne regarde pas
tu aimes	tu n'aimes pas
il parle	il ne parle pas
elle écoute	elle n'écoute pas

B Comment on passe de la forme affirmative à la forme négative ?

C À toi ! Écoute et mets à la forme négative.

Pour bien prononcer

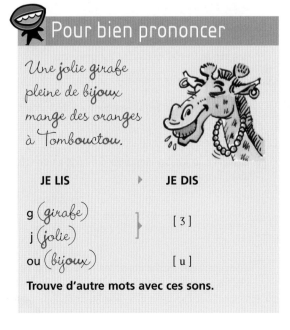

Une jolie girafe pleine de bijoux mange des oranges à Tombouctou.

JE LIS	▶	JE DIS
g (girafe)		[ʒ]
j (jolie)		
ou (bijoux)		[u]

Trouve d'autre mots avec ces sons.

■ Exprimer des actions à la forme affirmative et à la forme négative

Confusion dans la neige

QU'EST-CE QU'ELLES FONT ? ELLES VOLENT ?

NOUS PARTICIPONS À UN GYMKHANA.

AU SECOURS ! ILS SONT FOUS !

ATTENTION !! ON ARRIVE !

OH ! VOUS SKIEZ TRÈS BIEN !

MAIS OUI, ELLES SONT FANTASTIQUES !

VOUS OBSERVEZ LES INSECTES ?

EH OUI, NOUS SOMMES MONITEURS DE SKI.

13 KM

⚙ Écoute, observe, analyse

LES VERBES EN –ER AU PRÉSENT

A Écoute le verbe *dessiner* au présent.

   a) Combien de terminaisons différentes tu entends ?
   b) Quelles personnes se prononcent de la même manière ?

B Observe le verbe *dessiner* à l'écrit et compare avec l'oral.

je	dessine	nous	dessinons
tu	dessines	vous	dessinez
il / elle / on dessine		ils / elles	dessinent

C Conjugue un autre verbe en –ER à l'oral et à l'écrit.

« on » = « nous »

On regarde la vidéo. = **Nous** regardons la vidéo.

Avec *on*, à quelle personne est le verbe ?

Pour bien prononcer

Onze zèbres bien bronzés font la pause dans un café.

JE LIS	▶	JE DIS
z (onze)	}	[z]
s (pause)		

CLUB Chanson

**L'alphabet.
Écoute et chante.**

A, B, C, D,
Nous sommes décidés
E, F, G, H,
Nous jouons au squash
I, J, K, L,
Un sport très actuel
M, N, O, P,
Vous participez ?
Q, R, S, T,
Rapidité, vitalité, mobilité !
U, V, W,
On sera crevés
X, Y, Z
De l'eau ! C'est le remède ! !

**Épèle le nom d'un camarade.
De qui il s'agit ?**

---

1 **Les élèves de 5ᵉ D sont en classe de neige.**
8 élèves portent une lettre sur leur anorak.
Mets les lettres en ordre pour trouver le nom du
collège. Attention ! c'est le nom d'un célèbre
personnage historique français.

2 **Observe l'illustration.** Réponds oui ou non.

   a) Le nº 7 pleure.
   b) Le nº 25 mange de la neige.
   c) Le nº 4 et le nº 5 fabriquent une énorme
   boule de neige.
   d) Le nº 2 fait du snowboard.
   e) Les nº 44 et 45 font une bataille de boules de
   neige.

3 **Observe le paysage.** Trouve le maximum
d'actions différentes.

4 **Lisez les mini-conversations.**
6 répliques sont en désordre.
Vous pouvez retrouver l'ordre exact ?

5 **Qui dit quoi ?** Écoute ces mini-
conversations. Qui parle ? Indique le(s)
numéro(s).

6 **Observe bien.** Trouve :
   a) 3 objets qui commencent par la lettre « s »,
   b) 2 qui commencent par la lettre « t »,
   c) 1 qui commence par la lettre « n ».

verbe « faire »

je	**fais**	nous	**faisons**
tu	**fais**	vous	**faites**
il / elle / on	**fait**	ils / elles	**font**

DOC LECTURE Héros de BD

Belges ou Suisses, ces personnages de BD parlent tous français.

TINTIN

Il travaille pour un journal. Il n'aime pas l'injustice. Il adore l'aventure. Il est courageux, modeste, intelligent, astucieux et rapide.

MILOU

C'est un fox-terrier blanc. Milou est curieux, gourmand et intrépide d'instinct. C'est le fidèle compagnon de Tintin.

©HERGÉ/MOULINSART 2004

LE CAPITAINE HADDOCK

Il est maladroit, impulsif, généreux, colérique et excessif dans ses paroles. Ses injures sont célèbres : elles ne sont pas grossières mais d'une sonorité agressive.

BIANCA CASTAFIORE

Grande diva de la Scala de Milan. Elle est très capricieuse et coquette. Elle adore être admirée. Sa chanson préférée : « Aaah ! je ris de me voir si belle en ce miroir. »

TITEUF

C'est un petit garçon très curieux et turbulent. Il pose une grande quantité de questions sur les réalités de la vie. Il adore ses copains mais il a toujours des problèmes avec ses parents, sa sœur, ses profs… Son expression préférée : « C'est pô triste ! »

ZIZIE

Bébé de 18 mois, c'est la petite sœur de Titeuf. Titeuf voudrait bien l'échanger contre un hamster, mais maman dit que ce n'est pas possible.

NADIA

C'est le grand amour de Titeuf, la plus belle, un point c'est tout. Mais il est seulement 9e sur la liste de ses garçons préférés.

MANU

Manu est le meilleur ami de Titeuf et (le plus naïf de la bande). Il est timide. Il porte de grosses lunettes.

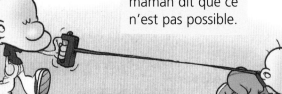

1 **Lis les présentations de la page 22.** Tu comprends tout ?

2 **Écoute ces phrases du texte.** De qui on parle ?

3 **De ces personnages qui…**

a) est intelligent ?
b) est blanc ?
c) est curieux ?
d) pose beaucoup de questions ?

e) chante ?
f) est turbulent ?
g) est très fidèle ?
h) dit des injures très sonores ?

i) est timide ?
j) est petit ?
k) est aventurier ?
l) déteste l'injustice ?

Projet Je suis comme ça !!!

Transforme-toi en personnage réel ou de fiction.

1) Colle sur une feuille le dessin ou la photo d'un personnage que tu aimes bien.
2) Remplace son visage par une photo de toi.
3) Présente-toi à travers ce personnage. Tu peux tout inventer : ton nom, ton prénom, tes goûts…

Je m'appelle Raul. Je suis grand, brun, mince. Je ne porte pas de lunettes. J'aime l'oxygène et les copains. Je déteste la salade. J'adore la clarinette et flotter dans le ciel. Je suis le roi de l'espace !!!

Élégant, non ?

Je m'appelle Adriana. Je suis la Mère Noël. Je suis grande et grosse. J'ai un chapeau rouge. J'aime la lune et les chiens. Je déteste le poisson et les maths. J'adore la pizza et les enfants. Au revoir ! Au 24 décembre !

Grande exposition de tous les posters !!!!

B.D. Charles, le stylo-plume

1 **Lis la BD.** Vrai ou faux ?

a) Le prénom de la règle est très joli.
b) Clémentine, la gomme, est grande et super-élégante.
c) Charles, le stylo-plume, est timide.
d) Xiang Lian est sensible au charme de Charles.
e) Clémentine et Xiang Lian sont très amies.

2 **Écoute.** Relis la BD.

3 **Écoute et lis à haute voix.** Imite les intonations.

TEST DE COMPRÉHENSION ORALE !!
Un journaliste au collège

Cahier d'exercices, page 26.

TEST 20 / 20 à l'oral

Aide-mémoire

On a travaillé dans ce module :
• Les expressions pour…
- se présenter, p. 16
- identifier et décrire quelqu'un, p. 16, 17
- manifester ses goûts et ses préférences, p. 18, 19

• Le féminin et le masculin des adjectifs, p. 16, 17
• Le présent des verbes en *–ER*, du verbe *être* et du verbe *faire*, p. 17, 19, 21
• La forme négative des verbes, p. 19
• Le pronom *on*, p. 20

1 Bip, Bip, réponds vite. **Écoute et réponds à ces questions.**

10 Questions, 10 Points !!!!

∕ 10

2 Ton copain a un voisin un peu extravagant. Tu poses des questions pour deviner sa personnalité, ses goûts, etc.

∕ 2

3 Comment est ton copain ? Décris-le.

∕ 2

4 Qu'est-ce qu'ils font ? Qu'est-ce qu'ils ne font pas ?

Ⓐ

Ⓑ

5 Lecture à haute voix.

Nous sommes deux filles très sympathiques de 13 et 14 ans. Nous cherchons des correspondants de toutes les nationalités, garçons ou filles. Nous aimons le cinéma, les animaux et les vacances. Nous détestons le machisme et la violence. Écrivez vite à Soledad et Maria.

∕ 2

∕ 4

SCORE : ∕ 20

L'inconnu

1 **Écoute la chanson (sans lire le texte).**

a) Quels prénoms tu entends ? Quelles villes ?
   Quels animaux ? Quels plats ?
b) Combien de fois tu entends : « Je ne sais pas. » ?
c) Quelles questions tu entends ?

Il s'appelle
Max, Thomas ou Moustafa ?
Je ne sais pas.

Il est né au Brésil, en Turquie ou au Canada ?
Je ne sais pas.

Il habite à Rome, à Paris ou à Bogota ?
Je ne sais pas.

Il aime le foot, le basket ou le yoga ?
Je ne sais pas.

Il a un chien, un petit chat ou un boa ?
Je ne sais pas.

Qu'est-ce qu'il préfère, les spaghettis ou la paella ?
Je ne sais pas.

Quel âge il a ?
Je ne sais pas, je ne sais pas.

Quel est son nom ? Et son prénom ?
Je ne sais pas.

Je ne sais pas, je ne sais pas.

Pour t'aider

L'IDENTITÉ

- Qui est-ce ?
- Où est-ce qu'il est né ? / Il est né où ?
- Où est-ce qu'il habite ? / Il habite où?
- Quel âge il a ? / Il a quel âge ?
- Quel est son nom ?
- Quel est son prénom ?

2 **À partir de la chanson, imaginez l'identité de Max, de Thomas et de Moustafa.**

3 **Imagine.** Ton inconnu(e), il / elle est comment ?

Et toi ? Où est-ce que tu es né(e) ?
Où est-ce que tu habites ? Tu as quel âge ?

verbe « avoir »

j'	**ai**
tu	**as**
il / elle / on	**a**
nous	**avons**
vous	**avez**
ils / elles	**ont**

Les Martiens

4 **Lis et complète avec le verbe** *avoir.*

> Vous * le plan de la ville ?

> Oui chef, nous * tout.

> Et toi, X 02, tu * le laser fluo ?

> Bien sûr, chef ! J' * le laser fluo et le super TXW.

> Allons-y !

> Quelle horreur !! Ils * les yeux verts, noirs, marron !!

> Ah, ah, ah !!

5 **Écoute et vérifie.**

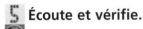 Écoute, observe, analyse

LA LIAISON ET LES VERBES

A **Écoute et observe en même temps.**

Nous‿avons une excuse.	Nous chantons.
Vous‿êtes tranquilles.	Vous téléphonez.
Elles‿utilisent l'ordinateur.	Elles parlent 3 langues.
Ils‿observent la lune.	Ils regardent une BD.

B **Dans quel cas tu fais la liaison ? Trouve d'autres exemples.**

Une allergie ?

6 **Écoute le dialogue.** Réponds oui ou non.

a) Éric et Rémy sont à l'école.
b) Ils arrivent à l'heure.
c) Ils inventent une excuse.
d) Ils ont réellement une allergie.
e) C'est une allergie au pollen.

7 **Lis le dialogue.** Imite les intonations.

● Éric ! Rémy !! Vous arrivez à 9 heures !!
Vous êtes très en retard !!!
Vous avez une bonne excuse, j'espère !!
■▲ Oui monsieur… Nous avons une excuse.
● Je vous écoute.
■ Nous avons une allergie.
▲ Oui, nous avons une allergie très grave.
■ Eh oui, l'allergie à l'école, c'est très grave !

8 **Écoute et lis.** Accentue sur le rouge.

Je suis un génie !
Lundi, je travaille avec Rémy
Mardi, je prépare un curry
Mercredi, je visite Paris
Jeudi, je téléphone à Sophie
Vendredi, je prends un taxi
Samedi et dimanche
Vive les vacances !

Dans ta langue, est-ce que tu accentues à la même place ?

D'autres langues, d'autres cultures

1 **Interview : Quelles langues tu connais ?**
Écoute et lis ces réponses.

> Je parle français à l'école, avec les copains.
> Et à la maison, comme ma mère est
> italienne, je parle italien avec elle. Avec mon
> père, comme il est marocain, je parle arabe.

Aïcha, 13 ans

> Nous, on est tous français dans la famille.
> Au collège, j'apprends l'anglais et l'allemand.
> Mais nous avons des amis espagnols et je
> passe les vacances en Espagne, alors je
> comprends un peu l'espagnol.

Adrienne, 13 ans

Et toi ? Tu parles quelles langues ?
Avec ta famille ? À l'école ?
Avec des amis ?

2 **Quelles langues parlent-ils ?**
Écoute et réponds.

le français ?
LE RUSSE ?
l'anglais ?
le portugais ?
le japonais ?
l'allemand ?

3 **Tu reconnais ces écritures ?**

① لتبقى على اتصال

② 街の近くまで
のせてくれるって！

③ 十六字令三首

④ УСЛОВНЫЕ ОБОЗНАЧЕНИЯ

a) écriture chinoise   **c)** écriture russe
b) écriture arabe   **d)** écriture japonaise

4 Connais-tu ces spécialités ?

a) C'est une spécialité espagnole.
b) C'est une spécialité japonaise.
c) C'est une spécialité française.
d) C'est une spécialité italienne.
e) C'est une spécialité américaine.
f) C'est une spécialité arabe.

Et toi ? Tu connais d'autres spécialités internationales ? À la maison, vous préparez des plats de différentes origines ?

Écoute, observe, analyse

LES NATIONALITÉS AU MASCULIN ET AU FÉMININ

A Écoute et observe en même temps.

Elle est chinoise.	Il est chinois.
Elle est américaine.	Il est américain.
Elle est canadienne.	Il est canadien.
Elle est française.	Il est français.
Elle est suisse.	Il est suisse.
Elle est allemande.	Il est allemand.

B Écoute et lève la main quand tu entends le féminin.

C Quelle est la règle de formation du féminin des adjectifs de nationalité ?

3 2

Pour bien prononcer

Un dauphin marocain prend le train pour Pékin.

Une baleine cubaine s'entraîne avec le capitaine de la flotte américaine.

JE LIS	▶	JE DIS
in (dauphin)		[ɛ̃]
ain (train)		
eine (baleine)		[ɛn]
aine (cubaine)		

5 Où se trouvent ces monuments ?
En Angleterre ? En Allemagne ?
Au Mexique? Aux États-Unis ?

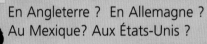

6 Écoute les personnes suivantes. Où se trouvent-elles ? Dis la ville et le pays.

Nous sommes...

à Lisbonne, **au** Portugal (**Le** Portugal)
à Bruxelles, **en** Belgique (**La** Belgique)
à New York, **aux** États-Unis
(**Les** États-Unis)

MODULE 3 LEÇON 3

- Inviter quelqu'un
- Dire et demander la date
- Exprimer la cause

La fête d'anniversaire

Allô ? Elsa ?

Oh ! salut, Aurélie.

Tu sais, samedi, je fais une fête ! Tu veux venir ?

Non, je suis désolée. Je ne peux pas.

Oh !! pourquoi ?

Parce que moi aussi, je fais une fête.

Mais c'est impossible ! Moi, je fais une fête parce que c'est mon anniversaire.

Et moi aussi, c'est mon anniversaire.

Mais... quelle coïncidence ! Tu es née le 19 juin comme moi !

Écoute. J'ai une super idée. On fait une macrofête sur ma terrasse !!

Génial !! Tu habites où exactement ?

42, rue de la Bourse.

1 Écoute et réponds.

a) Qui téléphone à qui ? Pourquoi ?
b) Qu'est-ce qui se passe ?
c) Quelle est la solution ?

2 Trouvez dans le dialogue une phrase pour...

a) faire une proposition.
b) accepter une invitation.
c) refuser une invitation.
d) demander une explication.
e) donner une explication.

3 BIP BIP. Écoute et réponds.

4 Tu organises une fête. Tu invites des amis. Jouez la scène.

Diversité

✋ Pour t'aider

DEMANDER ET DIRE LA DATE

- Aujourd'hui, c'est quel jour ?
- Ton anniversaire, c'est quand ?
- Quelle est la date de ton anniversaire ?

- C'est le 1er mai.
- C'est le 16 septembre.

INVITER, ACCEPTER ET / OU REFUSER UNE INVITATION

- Je t'invite.
- Tu viens chez moi ?

- D'accord, c'est génial !
- Désolé(e), je ne peux pas.

DEMANDER ET DIRE L'ADRESSE

- Où tu habites ? / Tu habites où ?
- J'habite 42, rue de la Bourse.

5 **Les 12 mois de l'année.**
Écoute.

JANVIER · FÉVRIER · MARS · AVRIL · MAI · JUIN · JUILLET · AOÛT · SEPTEMBRE · OCTOBRE · NOVEMBRE · DÉCEMBRE

Quelle est la date de ton anniversaire ?

Pour bien prononcer

Trente rhinocéros gris regardent tranquillement des fourmis.

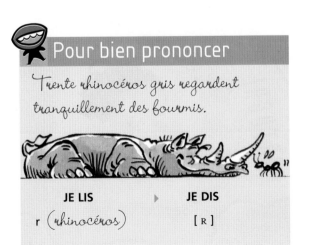

JE LIS	▶	JE DIS
r (rhinocéros)		[R]

6 **Jeu : Quelle est la date d'anniversaire ?**

On écrit toutes les dates d'anniversaire au tableau. Un(e) élève pense à une de ces dates et il / elle demande : « Quelle est la date d'anniversaire ? » Les autres devinent.

- • C'est le 9 octobre ?
- ■ Non.
- • C'est le 21 novembre ?
- ■ Non.

- • C'est le 8 mars ?
- ■ Oui !
- • C'est l'anniversaire de qui ?
- ■ De Paula !

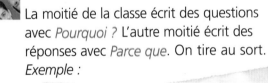

Observe et analyse

LA CAUSE Question : Pourquoi tu es triste ?
Réponse : Parce que j'ai perdu mon chat.

Question : Pourquoi il rit ?
Réponse : Parce qu'il est content.

7 **Jeu : C'est absurde !**

La moitié de la classe écrit des questions avec *Pourquoi ?* L'autre moitié écrit des réponses avec *Parce que*. On tire au sort. *Exemple :*

> Pourquoi les tortues ont 4 pattes ?

> Parce que mon père s'appelle Fernand.

CLUB Poésie

Écoute et lis.

Pourquoi y a-t-il la guerre ?
Parce qu'on ne s'entend pas bien
Sur la Terre.

Pourquoi certains sont-ils racistes ?
Parce qu'ils sont très égoïstes.

Pourquoi la violence ?
Parce qu'on manque de tolérance.

Pourquoi le bonheur ?
Parce que nous avons du cœur !

DOC LECTURE Les jeunes de l'Union Européen

Savez-vous que... ?

- Le nom « Europe » vient d'une légende grecque. Zeus, dieu du ciel, est tombé amoureux d'Europe, fille du roi de Phénicie. Pour l'enlever à son père, il se transforme en taureau et l'emporte sur son dos.

- Le cercle des 12 étoiles d'or du drapeau européen évoque l'union des peuples. Le 12 est le nombre de l'harmonie.

- L'hymne européen est « l'Hymne à la Joie » de Beethoven.

- En Europe, on parle français en France mais aussi en Belgique, en Suisse, au Luxembourg et à Monaco.

- Les collégiens du Luxembourg sont trilingues à 15 ans.

- Les jeunes Autrichiens suivent des cours de religion obligatoires.

- En France, les élèves sont notés sur 20. D'autres pays comme les États-Unis utilisent des lettres : de A à F. En Allemagne, les notes vont de 1 à 6 : 1 veut dire « très bien » et 5 « insuffisant ».

- En Belgique, l'éducation routière est une matière obligatoire.

Quelles sont les informations nouvelles pour toi ?

1 **Lis ces lettres. Tu comprends tout ?**
   a) Qui adore le cinéma ?
   b) Qui a 14 ans ?
   c) Qui aime lire et écrire ?
   d) Qui adore la musique ?

2 **Qui a les mêmes goûts que toi ?**

Salut, je recherche des correspondants africains ou anglais, filles ou garçons. On se parlera de nos pays. J'aime lire, écrire, le roller et les animaux. Si vous avez entre 12 et 15 ans écrivez-moi, je suis sûre qu'on s'entendra.

Miriam, 13 ans.

Coucouuuuu ! Nous sommes deux sœurs franco-espagnoles et nous aimons les animaux, le vélo, presque toutes les musiques, voyager, nous amuser et collectionner des cartes téléphoniques.

Laura et Muriel.

Bonjour ! Je suis espagnole et je voudrais correspondre avec des garçons et des filles de 11 à 15 ans. J'ai trois passions : la danse, les animaux et l'équitation. J'attends votre courrier avec impatience.

Vero, 12 ans.

ROYA
U

ESPAGNE

PORTUGAL

Séville

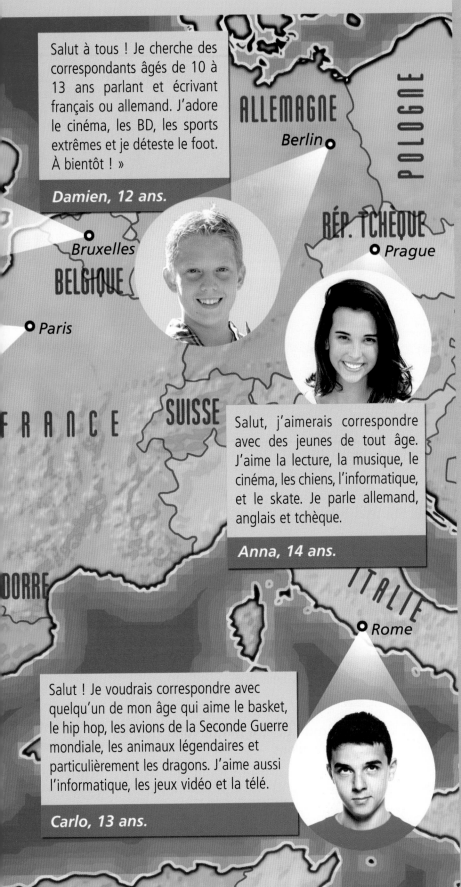

> Salut à tous ! Je cherche des correspondants âgés de 10 à 13 ans parlant et écrivant français ou allemand. J'adore le cinéma, les BD, les sports extrêmes et je déteste le foot. À bientôt ! »
>
> *Damien, 12 ans.*

> Salut, j'aimerais correspondre avec des jeunes de tout âge. J'aime la lecture, la musique, le cinéma, les chiens, l'informatique, et le skate. Je parle allemand, anglais et tchèque.
>
> *Anna, 14 ans.*

> Salut ! Je voudrais correspondre avec quelqu'un de mon âge qui aime le basket, le hip hop, les avions de la Seconde Guerre mondiale, les animaux légendaires et particulièrement les dragons. J'aime aussi l'informatique, les jeux vidéo et la télé.
>
> *Carlo, 13 ans.*

Projet

À la recherche d'un(e) correspondant(e) !

Présente-toi dans une lettre, n'oublie pas de mettre ton nom, ton âge, ta nationalité, ton adresse… Parle de ce que tu aimes, de ce que tu détestes…

@ Activité Internet. Deux possibilités :

1. Tu envoies ta lettre à http//www.momes.net et elle sera affichée sur ce site. Un peu de patience pour les réponses !

2. Tu trouveras sur ce site des lettres de jeunes du monde entier qui cherchent un(e) correspondant(e). Choisis la / les lettre(s) que tu préfères et réponds.

B.D. Qui es-tu ?

1 **Lis la BD.**

a) Parle du voyageur.

b) Qu'est-ce qu'il faut faire pour trouver la pierre Sacrée ?

2 **Écoute.** Relis la BD.

3 **Écoute et lis à haute voix.** Imite les intonations.

TEST DE COMPRÉHENSION ORALE !!
Séjour en Angleterre

Cahier d'exercices, page 38.

Diversité

TEST *20 / 20 à l'oral*

Aide-mémoire

On a travaillé dans ce module :
- Les expressions pour...
  - s'informer sur l'identité de quelqu'un, p. 26
  - indiquer la nationalité, le pays et la ville, p. 28, 29
  - inviter quelqu'un, p. 30
  - accepter et refuser une invitation, p. 30
  - dire et demander la date, p. 30, 31
  - exprimer la cause avec *Pourquoi ? / Parce que*, p. 31

- Le présent du verbe *avoir*, p. 26
- La liaison, p. 27
- Le féminin et le masculin des adjectifs de nationalité, p. 28, 29
- Les prépositions + villes / + pays, p. 29

1 Bip, Bip, réponds vite. **Écoute et réponds à ces questions.**

10 Questions, 10 Points !!!!

⟋ 10

2 Invite un(e) ami(e) à ton anniversaire.

⟋ 2

3 Tu n'es pas libre pour aller à la fête de Cathie. Explique pourquoi.

⟋ 2

4 Où se trouvent ces monuments ? (Précise la ville et le pays.)

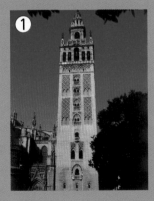
①

②

③

④

⟋ 4

5 Lecture à haute voix. Lis cette affiche publicitaire. Attention aux liaisons !

Si vous êtes étudiant(e)s et vous avez entre 18 et 25 ans, si vous aimez l'aventure, si vous êtes passionné(e)s de nature, nous organisons des excursions très intéressantes tous les samedis.

⟋ 2

SCORE :   ⟋ 20

J'ai perdu Bobby

1 Écoute et réponds.

a) Qui parle ? De qui ? Pourquoi ?
b) Que sais-tu de Bobby ?

2 BIP BIP. Écoute les réponses de la petite fille et retrouve les questions.

3 Lis l'affiche. Qu'est-ce que tu apprends de plus sur Bobby ?

Je m'appelle Bobby et je me suis perdu. J'ai 4 mois. J'ai 3 pattes blanches et une marron. Mes oreilles sont grandes. J'ai des yeux noirs. Ma queue est noire et très courte. Je suis un toutou affectueux, joueur et très gentil. J'adore les enfants et les chats.

Je porte un collier avec mon nom et le numéro de téléphone de la maison (le 03 88 42 75 96). S'il vous plaît, si vous me retrouvez, contactez ma famille qui est très triste sans moi. Merci !

Observe et analyse

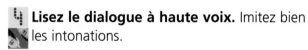

LES ADJECTIFS POSSESSIFS

A Observe les adjectifs possessifs de l'affiche : *mes oreilles, ma queue, mon nom*.

a) Ma précède un nom féminin ?
b) Mes précède seulement des noms masculins au pluriel ?
c) Et mon, qu'est-ce qu'il précède ?

	Masculin	Féminin
Singulier	mon ton ▸ chien son	ma ta ▸ chienne sa
Pluriel	mes tes ▸ chiens ses	mes tes ▸ chiennes ses

B Compare avec ta langue.

4 Lisez le dialogue à haute voix. Imitez bien les intonations.

● Qu'est-ce que tu as ? Pourquoi tu pleures ?
■ J'ai perdu Bobby.
● Bobby ? Qui est-ce, Bobby ?
■ C'est mon chien.
● De quelle couleur il est, ton chien ?
■ Il est noir, marron et blanc.
● Et comment est-il ? Il est grand ? Combien il mesure ?
■ Je ne sais pas… Il est tout petit, il est comme ça.
● Quel âge il a ?
■ 4 mois… C'est un bébé.
● Il porte un collier ?
■ Oui, avec son nom et notre numéro de téléphone.
● Alors, ne pleure pas. On va le retrouver, ton petit chien. Allez, viens !! On va faire une affiche.

5 Vous rencontrez un enfant très triste qui a perdu un de ces 4 animaux. Imaginez et jouez la scène.

CHAT — yeux bleus, oreilles, queue très longue, pattes

LAPIN — grandes oreilles, grands yeux noirs, tache noire, queue très courte

PERROQUET — aile bleue, bec, plumes orange

HAMSTER — petites oreilles, tache blanche, moustaches

6 Rédige l'affiche pour retrouver l'animal perdu.

7 Les nombres. Écoute et répète.

70 soixante-dix
71 soixante et onze
72 soixante-douze
. . .
80 quatre-vingts
81 quatre-vingt-un
82 quatre-vingt-deux
. . .

90 quatre-vingt-dix
91 quatre-vingt-onze
. . .
99 quatre-vingt-dix-neuf
100 cent !
1000 MILLE !

Diversité

Quel est ton numéro de téléphone ?

8 Écoute cette conversation.

BONNE NOUVELLE !
On a retrouvé Bobby !!!

Observe et analyse

Observe.

Quel jour ?
Quels jours ?
Quelle couleur ?
Quelles couleurs ?

A Comment on prononce les mots en rouge ?

B Ils s'écrivent différemment. Pourquoi ?

CLUB Poésie

Oh là là !
Écoute et lis.

Je connais une puce
Qui s'appelle Mado
Et qui pèse 80 kilos.
Oh là là ! C'est trop !
Elle mesure 120 mètres,
Elle a une moto
Et elle fait du judo.
Oh là là ! C'est trop !

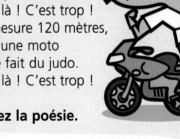

Récitez la poésie.

Pour bien prononcer

Oh ! Quelle horreur ! Un lion aux yeux bleus a peur d'une gazelle qui pleure !

JE LIS	▶	JE DIS
eu(r) (horreur)		[œ]
eu (bleus)		[ø]

Une géante du sud : l'autruche

Combien elle mesure ?

Combien elle pèse ?

Elle est carnivore ?

De quelle couleur est-elle ?

Elle habite où ?

Quelles sont ses particularités ?

Quelle durée de vie elle a ?

CARTE D'IDENTITÉ

Taille : de 1,75 m à 2,75 m

Longévité : de 30 à 50 ans

Habitat : zones semi-désertiques d'Afrique

Poids : 75 à 150 kg

Alimentation : omnivore

Couleur : Mâle : noir et blanc,

Femelle : brun gris

Particularités : Elle a une petite tête. Comme elle n'a pas de dents, elle mange des pierres pour faciliter la digestion

Déclaration Universelle des droits de l'animal
Art. 4 L'animal sauvage a le droit de vivre libre dans son milieu naturel !

1 **Lis la carte d'identité de l'autruche.** Réponds aux questions.

2 **À toi.** Présente Yaoundé, une autruche qui habite au Kenya.

Tous les animaux sauvages vivent-ils en liberté ?

Tu es doué(e) pour les maths ?

Lune la petite ourse a 2 mois. Si 1 mois a 4 semaines, combien de semaines a Lune ? Si 1 semaine a 7 jours, combien de jours a Lune ? Si 1 jour a 24 heures, combien d'heures a Lune ?

3 **Et toi ?** Combien de mois as-tu ? Combien de semaines ? Combien de jours ?

4 **Et ta classe ?** Quel âge elle a ? (Pour le savoir fais la somme des âges de tous les élèves !)

Observe et analyse

LA QUANTITÉ

Combien de mois a Lune ?   2 mois.
Tu parles combien de langues ? Je parle 3 langues.
Combien mesure l'ours polaire ? Il mesure 3 mètres.
Combien pèse l'autruche ?   De 75 à 150 kg.

A **Observe ces phrases. Quand est-ce qu'on emploie « Combien » ? Et « Combien de » ?**

B **Compare avec ta langue.**

Un géant du nord : l'ours polaire

L'ours polaire est le plus grand carnivore de la planète. Il peut manger un phoque de 80 kilos en un seul repas. Il est énorme : il mesure 3 mètres et il pèse de 300 à 450 kilos. Il peut nager à 10 km à l'heure. C'est normal, il passe 121 jours dans l'eau par an ! Cet animal solitaire, qui habite dans les régions du Pôle Nord, n'a pas de territoire : chaque année il fait 3 200 kilomètres pour trouver de quoi manger.

5 Écoute et réponds aux questions.

6 Fais une carte d'identité de l'ours polaire sur le modèle de la carte d'identité de l'autruche.

Devinettes

Je n'ai pas de plumes,
Je n'ai pas de pattes,
J'ai une longue queue
Et je ponds des œufs.
Qui suis-je ?

Je n'ai pas d'oreilles
Mais je chante à merveille.
Je n'ai pas de bouche
Et je mange des mouches.
Qui suis-je ?

7 **Qui est-ce ?** Lis et complète ces devinettes. Remplace les étoiles.

Il ★ a ★ de plumes. Il n' ★ pas ★ grandes pattes. Il ★ a ★ d'ailes. Il ★ une bouche énorme. Qui est-ce ?

Il ★ beaucoup de dents. Il ★ une queue très longue. Il ★ en Afrique, dans l'eau d'un fleuve. C' ★ un carnivore très dangereux. Qui est-ce ?

8 Rédige d'autres devinettes sur ces modèles.

Observe et analyse

LA FORME NÉGATIVE AVEC *PAS DE*

Elle a une chatte.	Elle n'a pas de chatte.
Elles ont un serpent.	Elles n'ont pas de serpent.
Ils ont des animaux.	Ils n'ont pas d'animaux.

A Observe les phrases affirmatives et négatives.

B Explique l'usage de *pas de*.

Pour bien prononcer

Sacha ne voit pas que son chat noir achète un chapeau chinois.

JE LIS	▶	JE DIS
ch *(chat)*		[ʃ]
oi *(moi)*		[wa]

MODULE 4 LEÇON 3

- Donner des ordres et des instructions
- Exprimer des sensations et des sentiments
- Différencier « tu » et « vous »

Chez le docteur

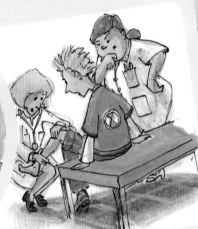

- Bonjour, docteur.
- Philippe ! Qu'est-ce qui ne va pas ?
- Bon, euh…, hier… je suis tombé dans l'escalier et aujourd'hui j'ai très mal au genou droit.
- Viens ici, on va voir ça.

- Lève la jambe ! Ça fait mal ?
- Euh… Nooon.
- Plie la jambe !
- Aïe !!! Arrêtez, madame, s'il vous plaît.
- Oh là là ! là là !
- Docteur, vous pensez que c'est grave ?
- Mmmm…

- Mais docteur, demain, j'ai un match de basket très important. Je ne peux pas manquer…
- Euh… Bon, il y a une solution… Mme Martin, vous pouvez faire une piqûre à ce jeune homme ?
- Non merci, ce n'est pas la peine. Au revoir, madame !
- Mais Philippe, qu'est-ce qui se passe ? Tu as peur ? Reviens ! c'est seulement une petite piqûre !

1 Écoute et lis.

a) Où se trouve Philippe ?

b) Pourquoi il va chez le docteur ?

c) Quels sont les ordres du docteur ?

d) Quel est le problème de Philippe ?

e) Quelle solution propose le docteur ?

f) Pourquoi Philippe part en courant ?

2 Jouez la scène. Il faut 3 personnages :
Philippe, le docteur et l'infirmière.

Écoute, observe, analyse

L'IMPÉRATIF

A Écoute les verbes. Lève la main quand tu entends un ordre.

B Écoute les ordres. Quel son indique que l'impératif est au pluriel ?

C Maintenant, observe.

Singulier	Pluriel
Regarde !	Regardez !
Danse !	Dansez !

3 « Tu » ou « vous » ?

Quand est-ce qu'on utilise « tu » ? Et « vous » ?

4 Écoute et transforme ces phrases en ordres.

Exemple : Tu n'écoutes pas ? alors BIP

5 Jeu « Jacques a dit ». Vous allez entendre des ordres qu'il faut suivre. Mais attention !! il faut seulement exécuter les ordres précédés de « Jacques a dit… » sinon, vous serez éliminés. *Exemple : Jacques a dit : « sautez ! ». (Il faut sauter.) « Parlez ! » (Il ne faut pas parler.)*

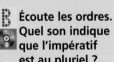

les cheveux
le cou
la tête
le dos
l'oreille
le bras
la gorge
le nez
la bouche
le coude
les dents
la main
les doigts
la jambe
les genoux
le pied

CLUB Chanson

J'ai mal !
Écoute et chante.

J'ai mal à la tête, j'ai mal au pied,
J'ai mal à la bouche, j'ai mal au nez.

Mon dieu, mon dieu,
J'ai mal aux cheveux !

J'ai mal au genou, j'ai mal au bras,
J'ai mal à la jambe, j'ai mal aux doigts.

Mon dieu, mon dieu,
J'ai mal aux cheveux !

J'ai mal aux oreilles, j'ai mal au cou,
J'ai mal au ventre, j'ai mal partout.

Mon dieu, mon dieu,
J'ai mal aux cheveux !

« avoir mal au / à la / aux »

J'ai mal **à la** tête (la tête).
J'ai mal **au** bras (le bras).
J'ai mal **aux** pieds (les pieds).

Moi aussi, j'ai peur

J'ai peur.
J'ai très peur.
J'ai très peur parce qu'il y a un fantôme.
J'ai très peur parce qu'il y a un fantôme blanc.
J'ai très peur parce qu'il y a un fantôme blanc derrière la porte.
J'ai très peur parce qu'il y a un fantôme blanc derrière la porte de ma chambre.
J'ai très peur parce qu'il y a un grand fantôme blanc derrière la porte de ma petite chambre.

Et toi ? Qu'est-ce qui te fait peur ?

une souris ?

une rue sombre ?

une araignée ?

la nuit noire ?

le silence ?

6 Imite le modèle. Écris une phrase longue, une phrase très longue, une phrase très, très longue…

DOC LECTURE La tour Eiffel

CARTE D'IDENTITÉ

Date de naissance : 31 mars 1889

Constructeur : Gustave Eiffel

Construction : 1887-1889 (2 ans, 2 mois et 5 jours)

Composition : 18 038 pièces métalliques, 2 500 000 rivets

Poids total : 10 100 tonnes

Hauteur : 324 m (hauteur avec antenne)

Nombre de visiteurs jusqu'au 31 décembre 2003 : 210 485 130

Signe particulier : Reconnaissable dans le monde entier

Nombre de marches : 1665

Propriétaire : La ville de Paris

Savez-vous que... ?

La tour Eiffel est le symbole de Paris. Elle a été édifiée en 1889 à l'occasion de l'Exposition Universelle qui devait célébrer le centenaire de la Révolution Française.

Peinture :
Tous les 7 ans on fait sa toilette. Des peintres (qui n'ont pas le vertige !) utilisent alors 60 tonnes de peinture.

Déformation :
Sous l'action du vent, le sommet se déplace de 6 à 7 cm.

Base :
Les piliers sont orientés aux quatre points cardinaux et inscrits dans un carré de 125 m de côté.

Les ascenseurs :
Les ascenseurs de la tour sont infatigables. Si on multiplie la hauteur de la tour par le nombre de voyages, on obtient une distance de plus de 103 000 kilomètres par an, c'est à dire l'équivalent de deux fois et demie le tour de la Terre !

1 Calcule l'âge de la tour Eiffel.

2 Quelle est l'année de la Révolution Française ?

3 De toutes ces données, qu'est-ce qui t'a surpris(e) le plus ?

4 Est-ce que tu connais d'autres données sur la tour Eiffel ?

5 Est-ce que tu connais d'autres tours en Europe ?

6 Fais la carte d'identité du monument le plus symbolique de ta ville, de ton pays (ou d'un autre pays).

Projet
La mascotte de la classe

On va créer un personnage qui sera la mascotte de votre classe.

Il ou elle doit avoir : – comme âge, la somme des âges de tous les élèves de votre classe,
– comme poids, la somme de tous vos poids,
– et comme taille, la somme de toutes vos tailles.

Pour lui trouver un prénom, prenez les 5 ou 6 lettres de plus grande fréquence dans vos prénoms.

Pour aller plus vite, comment s'organiser ?

1 **Par groupes de 5, faites les calculs pertinents pour remplir la fiche suivante.**

Âge : _____
Taille : _____
Poids : _____
Prénom : _____

2 **Mettez en commun les données des différents groupes pour rédiger la fiche de la mascotte de la classe.**

Toute la classe décide alors :

- Qu'est-ce qu'il / elle aime, adore et déteste.
- Qu'est-ce qu'il / elle fait ?
- Quelles langues il / elle parle ?
- Où est-ce qu'il / elle habite ?
- D'où est-ce qu'il / elle vient ?
- Est-ce qu'il / elle a un animal de compagnie ?
- Quels sont ses signes particuliers ?

La mascotte de notre classe s'appelle Rodiapic.

C'est un monstre vert et gluant qui mesure 31 m et qui pèse 917 kg.

Il n'a pas de cheveux, il n'a pas d'oreilles, mais il a trois pieds de 17 mètres.

Comme il est très coquet, il se peint les ongles en jaune fluo.

Il adore les sports orientaux, les kimonos et il déteste les escargots.

C'est un être très intelligent qui parle 13 langues et qui compose de la musique électronique.

Il vient du futur, d'une planète qui est à 2 000 années-lumière de la Terre.

Il habite dans la salle d'informatique du collège. Tous les soirs, il cherche des ami(e)s sur Internet. Le lundi, le mardi et le mercredi, Rodiapic est un être masculin et il signe ses e-mails Roger. Mais le jeudi, le vendredi et le samedi, Rodiapic est un être féminin, alors elle signe ses e-mails Rose. Mais le plus simple c'est d'écrire : rodiapic@futur.fr

@ Activité Internet :

- Tu as un animal de compagnie ? Présente-le à ton / ta correspondant(e).
- Tu peux présenter aussi la mascotte de ta classe.

B.D. Sur le port

1 Lis et réponds.

a) Quelles sont les caractéristiques du yacht ?
b) Le jeune homme a réellement un yacht ?
c) Quelle excuse il invente pour éviter la visite du yacht ?
d) Comment le garçon découvre la vérité ?
e) Invente un autre titre pour la BD.

2 Écoute. Relis la BD.

3 Écoute et lis à haute voix. Imite les intonations.

TEST DE COMPRÉHENSION ORALE !!
Tu n'as pas de travail ?

Cahier d'exercices, page 50.

Diversité

TEST 20 / 20 à l'oral

Aide-mémoire

On a travaillé dans ce module :
- Les expressions pour...
  - s'informer sur les caractéristiques de quelqu'un, p. 36, 37
  - décrire les caractéristiques d'un animal, p. 36, 37
  - donner un numéro de téléphone, p. 37
  - exprimer des sensations et des sentiments, p. 40, 41
  - dire où l'on a mal, p. 41

- Les adjectifs possessifs, p. 36
- Les nombres jusqu'à 1000, p. 37
- Les adjectifs interrogatifs *quel(s)*, *quelle(s)*, p. 37
- La quantité : *combien, combien de*, p. 38
- La forme négative avec *pas de*, p. 39
- L'impératif, p. 40
- Le corps humain, p. 41

1 Bip, Bip, réponds vite. **Écoute et réponds à ces questions.**

10 Questions, 10 Points !!!!

/ 10

2 Tu veux adopter une petite chatte. Tu t'intéresses à Misha. Jouez la scène à l'aide des données de la fiche.

Nom : Misha
Race : indéterminée
Âge : 2 mois
Poids : 500 gr
Taille : 25 cm
Sexe : F
Couleur : gris et blanc
Chip n° : 170 350
Signes particuliers : elle a une patte noire, un œil vert et un œil bleu
Caractère : affectueuse, elle adore jouer

/ 3

3 Tu pars au collège. Qu'est-ce que tu mets dans ton sac ? (utilise les possessifs)

/ 3

5 Lecture à haute voix.

Roland Artois est dessinateur. Aujourd'hui, jeudi 23 octobre, c'est un jour fabuleux. Pourquoi ? C'est son anniversaire, il ne travaille pas. Il veut voir la mer. Le bleu de la mer, c'est son cadeau d'anniversaire.

/ 2

4 Réponds.

a) Tu as un dictionnaire de russe ?
b) Tu as des jeux virtuels chinois ?
c) Tu as une Mercedes décapotable ?
d) Tu as une baleine bleue ?

/ 2

SCORE : / 20

Au café « La Tartine »

Au café « La Tartine » il y a 4 formules de petit-déjeuner.

1 **Écoute et observe les 4 formules.** Indique le numéro qui correspond à chaque produit.

a) des biscottes
b) des biscuits
c) un bol de chocolat
d) une brioche
e) du café
f) des céréales
g) de la confiture
h) un croissant
i) des fruits
j) du fromage

k) du jambon cru
l) du jus d'orange
m) du lait
n) du pain
o) un œuf à la coque
p) des tartines
q) du thé
r) un yaourt
s) du miel
t) du beurre

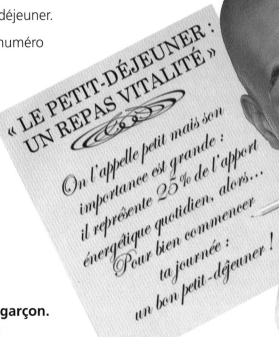

« LE PETIT-DÉJEUNER : UN REPAS VITALITÉ »

On l'appelle petit mais son importance est grande : il représente 25 % de l'apport énergétique quotidien, alors... Pour bien commencer ta journée : un bon petit-déjeuner !

2 **Observe ces 4 petits-déjeuners et écoute le garçon.** Quel est le produit qu'il oublie de nommer dans chaque formule ?

Le Traditionnel

Le Léger

Le Campagnard

Le Sucré

3 **Invente d'autres formules de petit-déjeuner.**

D'habitude, qu'est-ce que tu prends pour ton petit-déjeuner ?

Et le dimanche ?

4 Écoute la conversation et réponds.

a) Quelle formule commande la cliente ?
b) Qu'est-ce que le serveur apporte ?
c) Que dit le serveur pour s'excuser ?

Pour t'aider

COMMANDER UN PETIT-DÉJEUNER

- Vous désirez ?
- Qu'est-ce que vous voulez ?
- Qu'est-ce que vous prenez ?
■ Je voudrais… / J'aimerais…
■ Donnez-moi… / Apportez-moi…

5 Lis et joue la scène.

- Bonjour madame, qu'est-ce que vous prenez ?
■ Je voudrais… heu… du pain grillé avec du beurre et de la confiture,… un thé, heu pardon, pas de thé…, un café au lait… et un jus d'orange.
- D'accord madame, tout de suite… Voilà les céréales, le lait froid et le jus de pomme.
■ Mais garçon, il y a une erreur !
- Une erreur ? Oh ! excusez-moi, je me suis trompé ! C'est pour la table d'à côté !

Observe et analyse

LES ARTICLES PARTITIFS

1) ● Tu prends du chocolat ?
   ■ Non, je ne prends pas de chocolat.

2) ● Vous prenez de la confiture ?
   ■ Non, on ne prend pas de confiture.

3) ● Vous voulez de l'eau ?
   ■ Non, je ne veux pas d'eau, merci !

4) ● Il y a des biscottes ?
   ■ Non il n'y a pas de biscottes.

Quelles formes on utilise au masculin ? au féminin ? et à la forme négative ? Compare avec ta langue.

6 Écoute cette conversation.
Quel est le problème ?

7 Un petit-déjeuner pas comme les autres. Imaginez la situation.

Pour bien prononcer

Un ver vert va vers un verre vide.

JE LIS	▶	JE DIS
v (ver)		[v]

Verbe « prendre »

je	**prends**
tu	**prends**
il / elle / on	**prend**
nous	**prenons**
vous	**prenez**
ils / elles	**prennent**

À la plage

Aujourd'hui, c'est le 15 août. Il fait chaud, très, très chaud… mais c'est normal, nous sommes en été ! Il y a beaucoup de monde sur la plage.

1 Regarde bien l'illustration.

Combien il y a de personnes qui portent un chapeau jaune ? Un tee-shirt rose ? Une casquette violette ? Une mini-jupe verte ? Et des chaussettes blanches ?

2 Les familles de Sonia et d'Adrien sont sur la plage. Écoute et lis les indices pour identifier les membres de chaque famille.

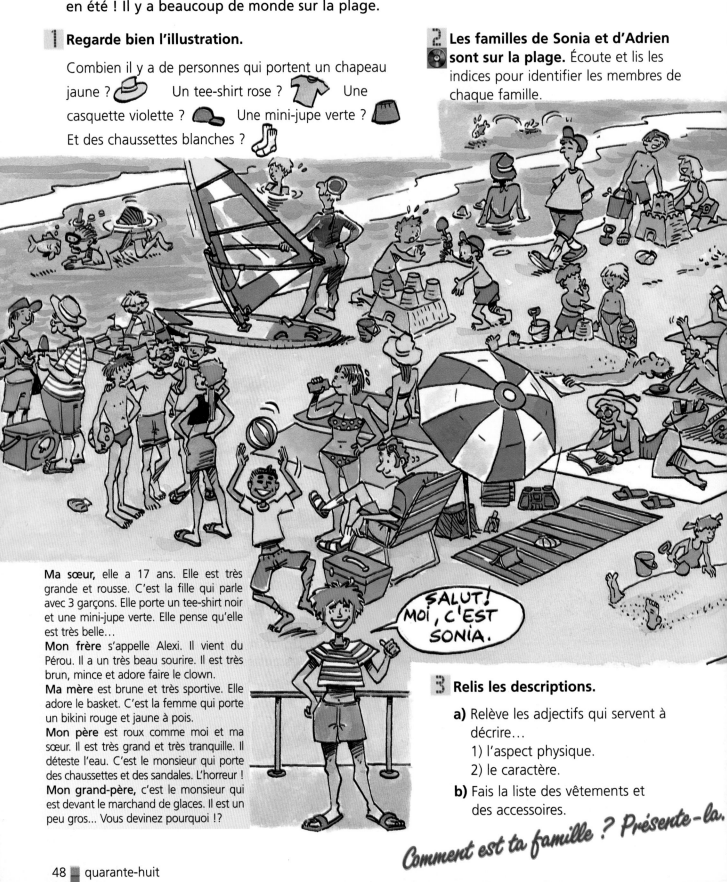

SALUT! MOI, C'EST SONIA.

Ma sœur, elle a 17 ans. Elle est très grande et rousse. C'est la fille qui parle avec 3 garçons. Elle porte un tee-shirt noir et une mini-jupe verte. Elle pense qu'elle est très belle…

Mon frère s'appelle Alexi. Il vient du Pérou. Il a un très beau sourire. Il est très brun, mince et adore faire le clown.

Ma mère est brune et très sportive. Elle adore le basket. C'est la femme qui porte un bikini rouge et jaune à pois.

Mon père est roux comme moi et ma sœur. Il est très grand et très tranquille. Il déteste l'eau. C'est le monsieur qui porte des chaussettes et des sandales. L'horreur !

Mon grand-père, c'est le monsieur qui est devant le marchand de glaces. Il est un peu gros… Vous devinez pourquoi !?

3 Relis les descriptions.

a) Relève les adjectifs qui servent à décrire…
1) l'aspect physique.
2) le caractère.

b) Fais la liste des vêtements et des accessoires.

Comment est ta famille ? Présente-la.

4 **Lis la description de la mère d'Adrien.**
À quoi servent les mots soulignés ?

5 **La phrase la plus longue.** Décris un personnage en donnant le plus d'informations possible en une seule phrase. Fais deviner qui c'est.

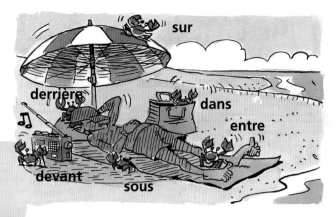

sur
derrière
dans
entre
devant
sous

6 **Devine !** Observe la planche.

Je suis **derrière** un parasol bleu et blanc et **sur** un gros ballon rouge. Qui suis-je ?
Je suis **sous** l'eau, **à côté d'**un poisson qui est très en colère. Qui suis-je ?
Je suis **devant** un grand château de sable avec une petite pelle bleue. Qui suis-je ?
Je suis enterré **dans** le sable et je porte des lunettes de soleil. Qui suis-je ?

7 **Où sont-ils ?** Il y a 5 coquillages sur la plage. Où sont-ils exactement ?

MOI, JE M'APPELLE ADRIEN.

Ma mère, c'est la dame blonde <u>avec</u> des lunettes de soleil <u>et</u> un chapeau <u>qui</u> lit un gros livre <u>sur</u> une serviette blanche. Pour elle, les vacances c'est le repos, la lecture et le soleil…
Ma grand-mère a des cheveux blancs très courts. Elle est très dynamique. Elle adore la planche à voile.
Mon frère a 3 ans. C'est le petit garçon avec une casquette et un maillot rouges. Il adore manger du sable. Il est complètement fou !!

Écoute, observe, analyse

LE GENRE DES ADJECTIFS

A Le masculin et le féminin de certains adjectifs sont très différents.
Il est beau, nouveau, fou, roux, gros, blanc, vieux…
Elle est belle, nouvelle, folle, rousse, grosse, blanche, vieille…

B Écoute et transforme ces phrases du féminin au masculin.

Pour bien prononcer

Une vipère berbère mange des pommes de terre sous un dromadaire !

JE LIS	▶	JE DIS
è *(vipère)*		
e *(terre)*		[ɛ]
ai *(dromadaire)*		

MODULE 5 LEÇON 3

- Raconter une journée : les activités quotidiennes
- Demander et dire l'heure
- Préciser les moments de la journée

La matinée de M. Ledistrait

1 **Écoute et lis.**

C'est le matin ?
C'est la nuit ?

6 : 00 Il est six heures du matin.
Le réveil sonne. M. Ledistrait se réveille.

Quelle heure est-il ?
Je suis en retard,
il est 8 heures et quart

6 : 15 Il est six heures et quart.
Il se lève.

Il n'y a pas d'eau !!

6 : 20 Il est six heures vingt.
Il se douche.

Où sont mes lunettes ?

6 : 30 Il est six heures et demie.
Il s'habille rapidement.
Il met une chaussette rouge
et une bleue.

Oh ? Pourquoi ça
ne mousse pas ?

6 : 35 Il est sept heures moins vingt-
cinq. Il se rase avec le dentifrice.

Mm ! C'est bon !!
Un peu salé !

6 : 45 Il est sept heures moins
le quart. Il prend son petit-déjeuner.

Oh ! ça mousse !

7 : 00 Il est sept heures. Il se brosse les dents
avec la crème à raser.

7 : 10 Il est sept heures dix.
Il se coiffe avec la brosse à dents.

Oh ! C'est dimanche !
Je ne travaille pas !!!

Bonjour !
Ici, Radio
Dimanche ...

7 : 25 Il est sept heures vingt-cinq.
Dans sa voiture, il écoute la radio.

2 **Réponds.**

1) À quelle heure se réveille M. Ledistait ?
2) Que fait-il entre 6 h et 7 h ?
3) M. Ledistrait est vraiment très distrait. Pourquoi ?

3 **Écoute bien les bruits.** Que fait ce personnage ?

4 **Lis et mime.** Il faut un narrateur / une narratrice et
un acteur / une actrice.

 Observe et analyse

LES VERBES PRONOMINAUX (SE LAVER)

je me	lave	nous nous	lavons
tu te	laves	vous vous	lavez
il / elle / on se	lave	ils / elles se	lavent

A Quels sont les pronoms sujets ? Et les
pronoms réfléchis ?

B Dans quels cas ils coïncident ? Compare
avec ta langue.

Les moments de la journée

5 **Observe les horaires de repas.**
C'est pareil dans ton pays ?

Bonjour !

Bonsoir !

Bonne nuit !

07:00	12:00	16:00	19:30	24:00
le matin	**midi**	**l'après-midi**	**le soir**	**minuit**
le petit-déjeuner	**le déjeuner**	**le goûter**	**le dîner**	

Et toi ? À quelle heure tu te lèves ? Et à quelle heure tu... ?

6 **Une journée typique ??** Écoute Noémie.

Diversité

Bon, euh... je me réveille à 7 h. À 7 h 30, je prends mon petit-déjeuner en pyjama... Après, à 8 h moins le quart, je m'habille et...

7 **Interview.** Interrogez Noémie.

8 **Raconte une de tes journées typiques.**

CLUB Poésie

Quelle heure est-il ?

Quelle heure est-il ?
Dit Valérie.
Il est une heure,
Dit son mari.
Mon Dieu ! Mon Dieu !
Je suis en retard !
J'ai rendez-vous
À une heure et quart.
Alors, va-t-en
Ma petite chérie.
Il est déjà une heure et demie.

Récitez et interprétez ce poème.

DOC LECTURE

Un regard sur les Français

Mariah est une étudiante allemande. Elle travaille au-pair dans une famille française à Strasbourg.

Moi avec « ma » famille française

Madame Daguerre

Sarah

Florence et Asta , les rois de la famille !

Goutam

« Salut ! Je vous présente ma nouvelle famille. Ils sont trois. La mère, Madame Daguerre est divorcée. Elle travaille énormément. Elle est avocate. La fille, Sarah a 10 ans. Sa passion ? La musique. Elle joue super bien du piano ! Le fils s'appelle Goutam. Il vient du Népal. Il est très sportif. Il fait du tennis, du basket... Il y a aussi Asta, un gros chien qui est un peu vieux ; Florence, une chatte noire que j'adore et Obélix, un poisson rouge avec un bon petit ventre.

Mon travail consiste à m'occuper des enfants quand ils sortent de l'école. Je les aide à faire leurs devoirs, je les accompagne quand ils ont des activités après l'école. Une seule condition : il faut parler allemand entre nous !

C'est un travail génial parce qu'ils sont tous très sympa et parce que j'ai beaucoup de temps libre.

En ce moment, je fais un cours intensif de français à la fac de lettres. J'ai déjà fait beaucoup de progrès, vous ne trouvez pas ?

1 Que fait Mariah à Strasbourg ?

2 Décris « sa » famille française.

3 En quoi consiste son travail ?

4 Quelles sont les habitudes françaises surprenantes pour toi ? Compare avec les habitudes de ton pays.

5 Quelles habitudes de ton pays surprennent les touristes ?

Voici les impressions de Mariah sur les habitudes des Français.

Les Français sont très polis, ils disent toujours « s'il vous plaît ! » « merci ! » « pardon ! »

S'il vous plaît !
Pardon !   Merci !

Ils se serrent la main chaque fois qu'ils se rencontrent. Je trouve qu'ils exagèrent !!

Bonjour !   Salut !
Bonjour !
Au revoir.   Salut !   À demain!

En famille ou avec des amis, on se fait la bise 2, 3 ou 4 fois, ça dépend des régions et des villes. Moi, je déteste ça. Je n'aime pas embrasser les gens.

Quand on parle « on écourte » souvent des mots. Par exemple :
« Petit-dej »,
« 5 heures du mat »,
« Mon prof de maths ».
C'est sympa, non ?

Pour le petit-déjeuner ils adorent prendre le lait, le chocolat ou le thé dans un bol. Ce n'est pas du tout pratique !

Les Français mangent du fromage à tous les repas !!! Mmm !!!

SMACK SMACK

extraordinaire

Mais ils mangent aussi des escargots... Heureusement que je suis végétarienne !

Projet   Une matinée chez...

Il s'agit de présenter la matinée d'une famille imaginaire.

Par groupes de 4 :
- Chaque personne prend le rôle d'un des 4 membres de la famille et individuellement invente la matinée de cette personne.

- Le groupe met les récits individuels en commun et, à partir de ceux-ci, construit l'histoire collective.

On présente oralement le résultat commun :
- Sous forme de sketch de théâtre.
- Sous forme de comédie musicale.

@ Présente ta famille à ton / ta correspondant(e).

B.D. *Un petit-déjeuner en pleine nature*

1 **Lis et réponds.**

a) Où sont les filles ?
b) Les 3 filles aiment bien la nature ?
c) Qu'est-ce qu'elles font avant d'aller se baigner ?
d) Finalement, elles réussissent à prendre le petit-déjeuner ? Pourquoi ?

2 **Écoute.** Relis la BD.

3 **Écoute et lis à haute voix.**
Imite les intonations.

TEST DE COMPRÉHENSION ORALE !!
Un réveil difficile

Cahier d'exercices, page 62.

TEST 30 / 30 à l'oral

Aide-mémoire

On a travaillé dans ce module :
• Les expressions pour...
- commander un petit-déjeuner, p. 46, 47
- présenter et décrire les membres d'une famille, p. 48, 49
- situer dans l'espace, p. 49
- décrire les activites quotidiennes, p. 50
- indiquer l'heure et préciser les moments de la journée, p. 50, 51

• Les articles partitifs, p. 46, 47
• Le present du verbe *prendre*, p. 47
• Les adjetifs irréguliers, p. 49

1 Bip, Bip, réponds vite. **Écoute et réponds à ces questions.**

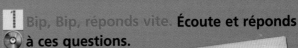

10 Questions, 10 Points !!!!

╱ 10

4 Cherche bien. Où sont les 5 araignées ?

╱ 5

2 Quelle heure est-il ?

3 Que fait la famille Bouvier à 8 heures ?

D'habitude, qu'est-ce que tu fais à ces heures-là ?

╱ 5

╱ 5

5 Qu'est-ce qu'ils disent ?

╱ 5

SCORE : ╱ 30

Test : *Aimes-tu l'aventure ?*

Quelles sont tes réactions face à l'aventure ? Es-tu prudent(e) ou téméraire ?
Vite, fais ce test et découvre cet aspect de ta personnalité !

1 Lis et réponds au test.

1 Cette année, tes parents et toi, vous allez au Pérou.

a) Fantastique ! Tu vas visiter le Machu Picchu ! ■
b) Tu n'es pas content, tu préfères aller à
la plage avec ta grand-mère. ■
c) Tu espères qu'un guide vous
accompagnera pendant tout le voyage. ■

2 Tu vas seul(e) à l'école.

a) Tu prends tous les jours un chemin différent. ■
b) Tu as 2 ou 3 itinéraires fixes. ■
c) Tu marches 3 pas derrière ton
voisin qui va à la même école. ■

**3 Tu es seul(e) à la maison. Tu
entends un bruit suspect.**

a) Tu téléphones à la police. ■
b) Tu vas aux toilettes et tu fermes la porte à clé. ■
c) Tu prends un parapluie et tu vas
directement à la porte d'entrée. ■

4 On t'offre le rôle d'Indiana Jones dans un film.

a) Non merci, tu ne veux pas finir
à l'hôpital ! ■
b) Tu vas au gymnase et tu suis
un cours de musculation. ■
c) Tu t'entraînes à la maison en te
suspendant aux rideaux. ■

5 Tu es sur un bateau. Il y a une tempête.

a) Tu vas te coucher, tu préfères ne rien voir. ■
b) Tu penses : Génial ! Je suis un pirate ! ■
c) Tu écoutes attentivement les
indications du capitaine. ■

6 Tu vas à la montagne. La nuit tombe.

a) Tu montes sur un arbre et tu te
couches sur une grosse branche. ■
b) Tu te réfugies dans une grotte. ■
c) Tu as peur. Tu appelles au secours. ■

Wrannng !

Jeu : *La machine à phrases*

2 Tu veux savoir où vont ces personnes ?
Avec qui et pour quoi faire ?

Le hasard et les 2 dés vont t'aider
à construire des phrases loufoques.
Jette les 2 dés 4 fois.

1) = 7 = Nous

2) = 6 = à l'école

3) = 8 = la reine mère

4) = 6 = manger des chips

Attention !!
N'oublie pas de conjuguer le verbe *aller* !!
*Exemple : Nous allons à l'école avec la reine
mère pour manger des chips.*

QUI
2 Je
3 Elle
4 Vous
5 Ils
6 Ma sœur
7 Nous
8 Tu
9 Mon frère
10 Elles
11 On
12 Ma tante

ALLER

OÙ	
2	à la plage
3	aux États-Unis
4	à l'hôpital H

les saisons

L'AUTOMNE

L'HIVER

Observe et analyse

PRONOMS PRÉCÉDÉS DE PRÉPOSITION (au singulier)

Pour moi, l'été c'est la mer.
Elle parle avec toi.
Ce cadeau, c'est à lui.
Elle va chez elle.

Donne des exemples avec d'autres prépositions.

CLUB Chanson Diversité

**Le moment idéal.
Écoute et chante.**

C'est samedi soir.
La lune brille dans le noir.
C'est la nuit idéale
Pour une soirée spéciale.
Je téléphone à Natacha
Et nous allons à l'opéra.

C'est dimanche matin.
Il y a du soleil, je suis très bien.
C'est un jour idéal
Pour aller prendre un bain.
Je téléphone à Albert
Et nous allons à la mer.

C'est lundi après-midi.
Il y a des nuages, le ciel est gris.
C'est le moment idéal
Pour lire des poésies.
Je téléphone à Mylène
Et nous récitons du Verlaine.

Il fait froid. C'est l'hiver.
Je mets 3 pull-overs.
C'est l'époque idéale
Pour changer d'atmosphère.
Je téléphone à Sophie
Et nous allons aux Canaries.

Souvenirs de vacances

Chère tante Solange,
Aujourd'hui il pleut, hier,
il a plu et demain, il va
pleuvoir, c'est presque sûr.
Je fais la sieste tous les
jours. Sissi, le hamster de
Caroline, est mort.
Papa et maman vont bien.
À bientôt.
            Guillaume

Solange LEGERON
36, avenue Mozart
75016 Paris

Chers amis,
Notre camping est juste à côté de ce
petit village. Tout va bien, il ne pleut
pas et nous faisons beaucoup
d'excursions et de l'escalade.
Et demain soir, c'est la nuit des
étoiles : on va tous se coucher sur
l'herbe pour compter les étoiles
filantes. À la semaine prochaine.
            Pascal Françoise Anne

Famille Décamp
1, boulevard Renaud de Bourgogne
90000 Belfort

Chers tous,
Il fait un temps merveilleux.
Nous sommes tous les deux bien
bronzés. C'est la pleine forme ! Nous
n'arrêtons pas !!
Hier, on est allés en Camargue. Vous
savez ? On a vu des chevaux en liberté
et on a pris beaucoup de photos.
Demain, nous visiterons Sète et le soir,
il y aura une soirée barbecue dans les
jardins de l'hôtel.
On vous embrasse tous très fort.
Mamie et Papy

PS : On est aussi allés à une discothèque
et papy a dansé !

M. Serge Cordier
7, rue Henry IV
69002 Lyon

Quelle est la carte postale que tu préfères ?

1 **Associe le recto au verso de chaque carte postale.**

2 **Écoute cette conversation.** Trouve la carte postale envoyée.

3 **Relis les cartes postales.** Quel texte trouves-tu le plus sympathique ? le plus original ? le plus conventionnel ?

4 **La carte-puzzle.** Quelles sont les différentes formules utilisées pour commencer une carte postale ? et pour la finir ? Écrivez une carte postale en utilisant au minimum un élément de chaque texte.

Salut tout le monde !!
Chicago est une ville
géniale ! La famille où
je suis est très sympa.
Désolée papa, il n'y a
pas de gangsters !
Bye ! Bye !
         Carole

M. et Mme Faucard
6, rue Grillon
13010 Marseille

Devine
qui
pense
à toi !

Chère Nadia,
Ton pays est magnifique !
Hier, j'ai visité
Marrakech et aujourd'hui
je suis à Meknès, deux
villes pleines de parfums
et d'histoire...
Les gens sont très
hospitaliers, il fait beau,
le thé à la menthe est
délicieux...
Gros bisous !
         Jean-Paul

Nadia Benguigui
104, rue Daunou
75002 Paris

Observe et analyse

PRÉSENT, PASSÉ, FUTUR

Relis les cartes postales. Quelles expressions
indiquent le moment de l'action ? Quelles
actions se réfèrent au passé ? au présent ?
au futur ?

Diversité

Pour bien prononcer

Le soir, le singe
noir s'assoit sur
une balançoire.

JE LIS		JE DIS
s (soir)		
ss (s'assoit)	▸	[s]
ç (balançoire)		

DOC LECTURE Vive la différence !

Terminer son assiette, dire merci, secouer la tête de gauche à droite pour dire non, cela se fait.

Roter, cracher, arriver en retard, cela ne se fait pas !

Tout cela est vrai dans certains pays mais pas dans d'autres. Chaque pays a sa façon d'être, de penser, de vivre…

Nous avons des coutumes bien à nous que nous considérons tout à fait naturelles.

Par contre, les étrangers qui nous rendent visite peuvent considérer ces mêmes coutumes très étranges.

Voici quelques comportements qui pourraient surprendre :

En Grèce et en Bulgarie, on secoue la tête de haut en bas pour dire « Non ! » et pour dire « Oui ! » on tourne la tête sur le côté.

En Angleterre, on fait toujours la queue pour attendre le bus.

En Italie, les gestes accompagnent ou remplacent la parole.

Au Portugal, on sert des assiettes énormes au restaurant !

En Russie, les hommes s'embrassent sur la bouche pour se dire bonjour !

Si vous êtes invités en Slovaquie ou en République Tchèque, vous devrez enlever vos chaussures et mettre des chaussons.

En Irlande, s'exclamer avec le nom de Jésus c'est dire un gros mot.

Prendre un sauna en Finlande n'est pas un luxe mais la récompense après une journée de travail.

En Hollande, les gens n'ont pas de rideaux aux fenêtres mais personne n'a l'idée de regarder à l'intérieur de la maison.

Au Danemark, après un repas, tout le monde remercie en disant : Tak for mad ! (Merci pour ce repas !)

JE N'AIME PAS TROP LE MODÈLE !

Et toi, tu connais d'autres coutumes surprenantes ?

Si tu pars en voyage, ouvre bien tes yeux et tes oreilles. Tu verras que les gens vivent de façon diverse. Connaître les différences est une expérience passionnante.

Projet Journal de bord d'un(e) touriste

Vous allez regarder votre ville avec les yeux d'un(e) touriste.
Par groupes de 4, rédigez le journal de bord de 3 jours de votre voyage.
Illustrez-le avec des photos, des cartes postales, des collages etc.

Il faut... **parler du temps**
des coutumes du pays **raconter ce que vous avez fait hier** **ce que vous faites aujourd'hui**
ce que vous ferez demain

Grande exposition de tous les résultats. Prix à l'originalité, à la présentation, au texte... !!

Nous sommes
C'est
Les gens sont
C'est bien surprenant, ils / elles _____ et ils / elles

Hier
Nous sommes allé(e)s
Nous avons visité

Demain
Nous irons

Envoie une carte postale à ton / ta correspondant(e).

B.D. Perdu dans la fôret

1 Écoute et lis.

1) Pourquoi Benoît est dans la forêt ?

2) Comment il se perd ?

3) Qu'est-ce que Benoît décide de faire ?

4) Est-ce qu'il dort toute la nuit ?

5) Est-il seul dans la maison ?

6) Quelles sensations éprouve Benoît ?
Quelles phrases traduisent ces sensations ?

2 Écoutez et lisez à haute voix. Imitez les intonations. N'oubliez pas le bruitage.

3 Imagine la suite de la BD.

TEST DE COMPRÉHÉNSION ORALE !!
Projets de vacances

Cahier d'exercices, page 74.

TEST 30 / 30 à l'oral

Aide-mémoire

On a travaillé dans ce module :
- **Les expressions pour...**
  - parler des activités, p. 56, 57
  - dire et indiquer le temps qu'il fait, p. 58, 59
  - identifier une action au présent, au passé et au futur, p. 60, 61
  - commenter ou raconter des vacances, p. 60, 61

- **Le présent du verbe *aller*, p. 57**
- **à + articles définis, p. 57**
- **Les pronoms *moi, toi, lui, elle* précédés de préposition, p. 58, 59**

1 Bip, Bip, réponds vite. **Écoute et réponds à ces questions.**

10 Questions, 10 Points !!!!

/ 10

2 Quel temps fait-il ? C'est quelle saison ? Décris les images.

① ② ③ ④

/ 10

3 Observe bien les personnages. Où vont-ils ?

/ 5

4 Lecture à haute voix. Lis cette carte postale.

Cher Gérard,
Ça va bien ? Nous, nous sommes à Besançon, chez Gilles et Françoise. Ici, le temps est parfait et nous n'avons pas une minute de repos : visites de musées, promenades, excursions... Nous avons une surprise pour toi ! Pour l'instant, c'est un secret...
On t'embrasse très, très fort.
Cécile et Guillaume

/ 5

SCORE : / 30

Les pronoms personnels

Sujets

▶ Ils sont obligatoires devant tous les verbes conjugués (sauf à l'impératif).

je parle   nous parlons
tu chantes   vous chantez
il danse   ils dansent
elle dessine   elles dessinent

 Attention ! on chante = nous chantons

▶ Le sujet peut être renforcé par un autre pronom.

Moi, **j'**aime la salade. Toi, **tu** aimes la pizza. Lui, **il** est acteur et elle, **elle** est photographe.

▶ On utilise tu quand on s'adresse à des copains, à la famille. Dans les autres cas, on utilise le vous de politesse.

On chante ?

OK ! Chantons !

Compléments

▶ **Derrière une préposition.** Tu viens **avec** moi ? • Elle parle **de** toi. • Ils sont **derrière** lui. • Elle est **chez** elle.

Les articles

Définis

	masculin	féminin
singulier	le garçon l'arbre l'hôtel	la fille l'école l'histoire
pluriel	les garçons les arbres les hôtels	les filles les écoles les histoires

 N'oublie pas !

On utilise « l' » devant les noms singuliers féminins ou masculins qui commencent par une voyelle ou par un « h ».

Contractés

◆ à + la = à la   Vous allez à la bibliothèque.
Il est à la piscine.

◆ à + l' = à l'   Je vais à l'hôtel. (masc.)
Elles sont à l'école. (fém.)

◆ à + le = au   Il va au théâtre.
Elle est au gymnase.

◆ à + les = aux   Je vais aux compétitions de basket.
Ils téléphonent aux bureaux d'Interpol.

Attention ! La contraction de « à » et de « le » et « les » est obligatoire.

à̶ le > au   Il est au cinéma.
à̶ les > aux   Il va aux Îles Canaries.

Indéfinis

	masculin	féminin
singulier	un crayon	une gomme
pluriel	des crayons	des gommes

▶ Prononciation :

Attention ! Quand le mot commence par une voyelle ou par un « h », il faut faire la liaison.

un‿arbre   des‿arbres
un‿hélicoptère   des‿hélicoptères

Partitifs

▶ Ils indiquent une quantité non déterminée.

	masculin	féminin
singulier	du chocolat de l'argent	de la farine de l'eau
pluriel	des raviolis	des fleurs

Attention ! À la forme négative, on utilise « pas de » ou « pas d' ».

Il n'a pas d'argent.
Elle ne mange pas de raviolis.

Le masculin et le féminin

Adjectifs

féminin = masculin + e		**féminin = masculin**		**féminin ≠ masculin**	
<u>il est</u>	<u>elle est</u>	<u>il est</u>	<u>elle est</u>	<u>il est</u>	<u>elle est</u>
grand	grande	adorable	adorable	gros	grosse
petit	petite	maigre	maigre	beau	belle
vert	verte	jaune	jaune	blanc	blanche
génial	géniale	sympa	sympa	sportif	sportive
bleu	bleue	marron	marron	nouveau	nouvelle
noir	noire	rouge	rouge	roux	rousse
		orange	orange	vieux	vieille
		rose	rose	fou	folle

► Prononciation :

Attention ! Au masculin, les consonnes finales sont muettes : fort [fɔʀ], grand [gʀã]
Au féminin, on entend cette consonne : forte [fɔʀt], grande [gʀãd]

Nationalités

féminin = masculin + e		**féminin = masculin**		**féminin ≠ masculin**	
<u>il est</u>	<u>elle est</u>	<u>il est</u>	<u>elle est</u>	<u>il est</u>	<u>elle est</u>
anglais	anglaise	arabe	arabe	italien	italienne
japonais	japonaise	russe	russe	colombien	colombienne
danois	danoise	suisse	suisse		
chinois	chinoise	belge	belge	grec	grecque
mexicain	mexicaine				
américain	américaine				
allemand	allemande				
argentin	argentine				

Le pluriel

singulier Le garçon est petit.
Il y a un sac rouge.
La classe est grande.

pluriel Les garçons sont petits.
Il y a des sacs rouges.
Les classes sont grandes.

► Prononciation :

N'oublie pas ! Au pluriel, on ne prononce pas le « s » final.
les garçon~~s~~, des~~ ~~moustique~~s~~, te~~s~~ fille~~s~~

Pour les articles et les adjectifs possessifs, la marque orale du pluriel est le son [e].
mes [me] copains   les [le] maisons   des [de] stylos

Il y a aussi des pluriels en « x ».

singulier Il a un beau jeu.

pluriel Il a 3 beaux jeux.

Les prépositions de lieu

sous   sur   devant   derrière   dans   à côté de / à gauche de   à côté de / à droite de

▶ **Autres prépositions :**

Elle est chez le docteur.   Je suis en 1ère année de français.   Il vient de l'aéroport.

▶ **Devant un nom géographique :**

Elle habite en Belgique. (**La** Belgique)
Il travaille en Espagne. (**L'**Espagne)

En Bretagne, les crêpes sont excellentes. (**La** Bretagne)
En Andalousie, il fait très chaud. (**L'**Andalousie)

Tu vas au Canada. (**Le** Canada)
Ils sont nés au Brésil. (**Le** Brésil)

Elles sont en vacances aux îles Canaries. (**Les** îles Canaries)
Nous irons aux États-Unis. (**Les** États-Unis)

Ma sœur est à Londres, mon père est à Paris, ma mère est à Lisbonne et moi, je suis à la maison.

La phrase

▶ **Type A :** pour exprimer une idée simple.	▶ **Type B :** pour exprimer une idée double ou plusieurs idées.	▶ **Type C :** pour exprimer une ou plusieurs idées complexes.
◆ **sujet + verbe** Elle joue. Claire danse. ◆ **sujet + verbe + complément** Nous prenons le thé. Il travaille à Paris. Tu regardes la télé.	◆ **sujet + verbe + plusieurs compléments** Je regarde une fille avec une robe verte et un chapeau. ◆ **Phrases simples coordonnées** Il mange et il regarde la télé. Vous dansez ou vous faites de la gymnastique ?	Le bébé pleure parce que sa maman n'est pas là. C'est une fille qui parle 3 langues étrangères et qui est très intelligente. Je pense que c'est une bonne idée.

La négation

● Tu danses, non... ?
■ Non, je saute.

● Elle parle anglais ?
■ Non, elle ne parle pas anglais.

● Tu as 16 ans ?
■ Non, je n'ai pas 16 ans, j'ai 18 ans.

● Il est content ?
■ Non, il n'est pas content.

● Vous vous réveillez à 7 heures ?
■ Non, nous ne nous réveillons pas à 7 heures.

● S'il vous plaît, prenez une feuille et ne parlez pas !

● Vous prenez du café ?
■ Non, merci je ne prends pas de café.

● Vous avez des feuilles blanches ?
■ Désolé, nous n'avons pas de feuilles blanches.

● Il a des amis anglais ?
■ Non, il n'a pas d'amis anglais.

Les adjectifs possessifs (un possesseur)

Théo est très distrait.
Tous les matins, il cherche son sac, ses lunettes et sa montre.

sac (masculin)	trousse (féminin)
mon sac	ma trousse
ton sac	ta trousse
son sac	sa trousse
mes sacs	mes trousses
tes sacs	tes trousses
ses sacs	ses trousses

Attention !

▶ Pour bien utiliser les adjectifs possessifs, il faut savoir qui est le possesseur.

je ➔ mon, ma, mes
tu ➔ ton, ta, tes
il, elle ➔ son, sa, ses

▶ On utilise le masculin devant les mots féminins qui commencent par une voyelle ou par un « h ».

~~ma~~ amie ➔ mon amie Hélène
~~ta~~ histoire favorite ➔ ton histoire favorite

L'interrogation

C'est facile ?

Qui est-ce ?
Qui ouvre la porte ?

Qu'est-ce que c'est ?
Qu'est-ce qu'il aime ?

Quel film ? Quels films ?
Quelle actrice ? Quelles actrices ?

Qu'est-ce que vous mangez ?
Combien il pèse ?
Avec qui tu vas au cinéma ?

Comment est Julie ?
Combien tu pèses ?
Combien de frères tu as ?
Quand commencent les vacances ?
Où va Françoise ?

● Pourquoi tu chantes ?
■ Parce que je suis content.

▶ On peut dire :

C'est facile ?
Est-ce que c'est facile ?

Où vous allez ?
Vous allez où ?
Où est-ce que vous allez ?

Comment elle s'habille ?
Comment est-ce qu'elle s'habille ?
Elle s'habille comment ?

Alphabet phonétique

Voyelles orales

[i] **livre**, sirène, pipe

[e] **épée**, les cahiers, sortez !, écouter

[ɛ] **lait**, fête, mère, belle, merci

[a] **arbre**, Paris, patte

[ɔ] **porte**, école, fort

[o] **moto**, eau, jaune, gros

[u] **loup**, douze, moustache

[y] **lune**, rue, tu

[ø] **bleu**, jeu, cheveux

[œ] **cœur**, peur, sœur

[ə] 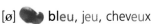 **premier**, le, me

Voyelles nasales

[ɛ̃] **pain**, insecte, vin

[ɑ̃]  **trente**, branche, ange, comment

[ɔ̃] **bonbon**, accordéon, mon

[œ̃] **un**, lundi, brun

Semi-voyelles

[j] **pied**, canadien, vieux

[w] **tatouage**, oui, roi

[ɥ] **parapluie**, je suis, cuisine, bruit

Consonnes

[p] **pomme**, père, plage

[t] **tomate**, très, tête

[k] **cahier**, koala, qui, sac

[b] **ballon**, bravo, robe

[d] **dé**, dans, addition

[g] **guitare**, garage, guerre, Congo

[f] **feu**, neuf, photo

[s] **tasse**, souris, ça, cinéma

[ʃ] **chat**, chien, autruche

[v] **ver**, vous, il lave

[z] **zèbre**, zéro, maison

[ʒ] **girafe**, je, page, jambe

[l] **lunettes**, lion, la loupe

[ʀ] **ordinateur**, restaurant, rue, terrible

[m] **miel**, marron, kilogramme

[n] **téléphone**, animal, nous, elle donne

[ɲ] **montagne**, ligne, gagner

Conseils pour la lecture

▶ Le « e » final ne se prononce pas, sauf dans les mots d'une seule syllabe comme dans *je, me, le*.
Martine adore le théâtre.

▶ En général, on ne prononce pas les CONSONNES FINALES.
Berthe a un grand pied.   Elle lit un petit livre.
Fernand et Flora dansent.   Salut ! Comment ça va ?

▶ C'est donc la règle pour la marque du pluriel.
Les vélos de mes cousines sont rapides.
Regarde ses cheveux roux.

▶ Quand un mot commence par une voyelle ou par un « h », il faut faire la LIAISON.
un enfant   des enfants
un hôtel   des hôtels

▶ L'ACCENT TONIQUE est toujours à la fin du mot ou de la phrase.
Hervé lira une poésie devant le public.
Marion écoute la radio.
Désolé, ça, je ne sais pas.

CONJUGAISONS

	AUXILIAIRES		1er GROUPE : -ER			2e GROUPE : -IR
	avoir	**être**	**aimer**	**manger**	**s'appeler**	**finir**
PRÉSENT	j' ai	je suis	j' aime	je mange	je m'appelle	je finis
	tu as	tu es	tu aimes	tu manges	tu t'appelles	tu finis
	il/elle/on a	il/elle/on est	il/elle/on aime	il/elle/on mange	il/elle/on s'appelle	il/elle/on finit
	nous avons	nous sommes	nous aimons	nous mangeons	nous nous appelons	nous finissons
	vous avez	vous êtes	vous aimez	vous mangez	vous vous appelez	vous finissez
	ils/elles ont	ils/elles sont	ils/elles aiment	ils/elles mangent	ils/elles s'appellent	ils/elles finissent
FUTUR	j' aurai	je serai	j' aimerai	je mangerai	je m'appellerai	je finirai
	tu auras	tu seras	tu aimeras	tu mangeras	tu t'appelleras	tu finiras
	il/elle/on aura	il/elle/on sera	il/elle/on aimera	il/elle/on mangera	il/elle/on s'appellera	il/elle/on finira
	nous aurons	nous serons	nous aimerons	nous mangerons	nous nous appellerons	nous finirons
	vous aurez	vous serez	vous aimerez	vous mangerez	vous vous appellerez	vous finirez
	ils/elles auront	ils/elles seront	ils/elles aimeront	ils/elles mangeront	ils/elles s'appelleront	ils/elles finiront
PASSÉ COMPOSÉ	j' ai eu	j' ai été	j' ai aimé	j' ai mangé	je me suis appelé(e)	j' ai fini
	tu as eu	tu as été	tu as aimé	tu as mangé	tu t'es appelé(e)	tu as fini
	il/elle/on a eu	il/elle/on a été	il/elle/on a aimé	il/elle/on a mangé	il/elle/on s'est appelé(e)(s)	il/elle/on a fini
	nous avons eu	nous avons été	nous avons aimé	nous avons mangé	nous sommes appelé(e)s	nous avons fini
	vous avez eu	vous avez été	vous avez aimé	vous avez mangé	vous êtes appelé(e)s	vous avez fini
	ils/elles ont eu	ils/elles ont été	ils/elles ont aimé	ils/elles ont mangé	se sont appelé(e)s	ils/elles ont fini

	3e GROUPE : -IR, -RE, -OIR					
	venir	**aller**	**faire**	**prendre**	**pouvoir**	**vouloir**
PRÉSENT	je viens	je vais	je fais	je prends	je peux	je veux
	tu viens	tu vas	tu fais	tu prends	tu peux	tu veux
	il/elle/on vient	il/elle/on va	il/elle/on fait	il/elle/on prend	il/elle/on peut	il/elle/on veut
	nous venons	nous allons	nous faisons	nous prenons	nous pouvons	nous voulons
	vous venez	vous allez	vous faites	vous prenez	vous pouvez	vous voulez
	ils/elles viennent	ils/elles vont	ils/elles font	ils/elles prennent	ils/elles peuvent	ils/elles veulent
FUTUR	je viendrai	j' irai	je ferai	je prendrai	je pourrai	je voudrai
	tu viendras	tu iras	tu feras	tu prendras	tu pourras	tu voudras
	il/elle/on viendra	il/elle/on ira	il/elle/on fera	il/elle/on prendra	il/elle/on pourra	il/elle/on voudra
	nous viendrons	nous irons	nous ferons	nous prendrons	nous pourrons	nous voudrons
	vous viendrez	vous irez	vous ferez	vous prendrez	vous pourrez	vous voudrez
	ils/elles viendront	ils/elles iront	ils/elles feront	ils/elles prendront	ils/elles pourront	ils/elles voudront
PASSÉ COMPOSÉ	je suis venu(e)	je suis allé(e)	j' ai fait	j' ai pris	j' ai pu	j' ai voulu
	tu es venu(e)	tu es allé(e)	tu as fait	tu as pris	tu as pu	tu as voulu
	il/elle/on est venu(e)(s)	il/elle/on est allé(e)(s)	il/elle/on a fait	il/elle/on a pris	il/elle/on a pu	il/elle/on a voulu
	nous sommes venu(e)s	nous sommes allé(e)s	nous avons fait	nous avons pris	nous avons pu	nous avons voulu
	vous êtes venu(e)(s)	vous êtes allé(e)(s)	vous avez fait	vous avez pris	vous avez pu	vous avez voulu
	ils/elles sont venu(e)s	ils/elles sont allé(e)(s)	ils/elles ont fait	ils/elles ont pris	ils/elles ont pu	ils/elles ont voulu

FORME NÉGATIVE	IMPÉRATIF	
Je **ne** parle **pas**. - Tu **n'**iras **pas**.	Écoute.	**N'**écoute **pas**.
Il **n'**a **pas** acheté. - Elle **n'**est **pas** allée.	Écoutez.	**N'**écoutez **pas**.
Nous **ne** nous sommes **pas** promné(e)s.	Écoutons.	

MODULE 1

En cours de langue. Page 10. Activités 1 et 2.
-Ahora con un rotulador verde, subrayen los verbos del ejercicio 3, página 17.
-Qu'est-ce que ça veut dire « rotulador » ?
-Feutre !
-Qu'est-ce qu'il faut faire ?
-Souligner les verbes !
-Un feutre de quelle couleur ?
-Vert !!
-Zut, je n'ai pas mon Cahier ! Comment on dit en espagnol : « J'ai oublié le Cahier d'exercices » ?
-He olvidado mi cuaderno de ejercicios.
-Comment ?
-Oh arrête !!

MODULE 2

Vive le sport ! Page 16. Activités 5 et 6.
Pour moi, c'est mon idole. Il est grand. Il est rapide. Il est intelligent. Il est toujours content. Il est vraiment génial !!!

MODULE 3

D'autres langues, d'autres cultures. Page 29. Activité 6.
1) Je suis juste devant de la tour de Pise.
2) Moi, je suis à côte de la tour Eiffel.
3) Je suis à l'Alhambra.
4) Moi, je suis à côté de l'Acropole.
5) Moi, je suis au Tādj Mahall.

MODULE 4

J'ai perdu Bobby. Page 37. Activité 8.
-Allô… J'ai, à côté de moi, un petit chien qui s'appelle Bobby et qui porte ce numéro de téléphone sur son collier…
-Bobby ? Oui ! C'est mon chien ! Où est-ce que vous l'avez trouvé ?
-Juste devant mon jardin !
-Comment il va ? Il est bien ?
-Oui, oui, ne vous inquiétez pas, il va bien.
-Oh, merci madame… Je suis… nous sommes si contents… Est-ce que je peux venir le chercher ?
-Mais bien sûr !! J'habite 4, avenue des Lilas. Venez tout de suite, il est un peu triste…
-Le pauvre !!! Je suis chez vous dans 5 minutes.
Caroline, on a retrouvé Bobby !!!

MODULE 5

Au café « La Tartine ». Page 46. Activité 2.
Il y a 4 formules de petit-déjeuner. Nous avons « Le Traditionnel » avec un jus d'orange, du café et du lait, du pain et de la confiture. Nous avons aussi « Le Léger » avec des fruits, un œuf à la coque, du thé, des biscottes, du miel et des céréales. Après, il y a « Le Campagnard » avec du café, du lait, du pain, du beurre et du jambon cru. Et finalement, nos avons « Le Sucré » avec un bol de chocolat, un croissant, une brioche, des biscuits et des tartines.

Au café « La Tartine ». Page 47. Activité 6.
-Voilà monsieur, votre lait froid.
-Merci. Mais… Garçon ! Il y a une mouche dans le lait !!!
-Une mouche ? C'est impossible !!! Ici, il n'y a pas de mouches.
-Pas de mouches ? Et ça, qu'est-ce que c'est ?

Les moments de la journée. Page 51. Activité 5.
Bon, euh… je me réveille à 7 h. À 7 h 30, je prends mon petit-déjeuner en pyjama… Après, à 8 h moins le quart, je m'habille et je pars au collège. D'habitude, le matin, j'ai 4 heures de cours. À midi, je déjeune à la cantine avec les copains. L'après-midi, 2 heures de cours et après, basket ou musique. Le soir, je dîne à 19 h 30 avec toute ma famille, je fais mes devoirs, je me douche, je regarde un peu la télé et je me couche vers 22 h 30…

MODULE 6

Les saisons. Page 58. Activité 4.
1) -Pour vous, que représente l'été ?
   -Euh… pour moi, l'été c'est le bonheur, les vacances, le parasol au soleil…
   -Pour moi, l'été c'est trop bien. C'est lire de gros livres.
2) -L'hiver, pour vous, c'est quoi ?
   -Pour moi, l'hiver c'est Noël.
   -Pour moi, l'hiver c'est la neige et c'est le ski aussi…
3) -Pour vous, que représente l'automne ?
   -Ah ! pour moi, l'automne c'est le chocolat chaud, c'est regarder la pluie qui tombe derrière la fenêtre.
   -Pour moi, c'est le rouge, le jaune, l'orange. C'est le bruit des pas dans les feuilles sèches.
4) -Le printemps, qu'est-ce que c'est pour vous ?
   -Euh… pour moi, le printemps c'est la joie, c'est le vert, cueillir des fleurs, le bonheur…
   -Pour moi, le printemps c'est les randonnées, le chant des oiseaux… j'aime bien le printemps.

Souvenirs de vacances. Page 60. Exercice 2.
-Ohhh, que tu es bronzée ! Alors, ça s'est bien passé ?
-Oh oui, extraordinaire ! Trop court !
-Trop court ?
-Oui, on a fait de l'escalade, des excursions, on s'est baignés… Les Pyrénées c'est vraiment la nature.
-Ah oui, super !
-De toute façon, moi en camping, une petite semaine ça me suffit !